JN046209

アウレリャーノがやってくる

高橋文樹

株式会社破滅派

本書を破滅派同人、二〇〇〇年からの十年間、そして文学を愛するすべての人々に捧げる。

アウレリャーノがやってくる

白い煙が抱いてほしいとまとわりついてくる夜だった。振りほどいても消えない匂いが、汗ばんだ肌の上で艶めく。といっても、光景がときめくことを許さなかった。そこは新大久保の焼肉屋で、しかも豚肉以外を出さない店だ。椅子はゴミ箱を代用したようなアルミ缶だった。肉を焼く鉄板はマンホールの蓋のような形をしていて、放射状に入った溝を油が伝い、小皿のなかで溜まっていく仕組みになっているのだけど、その合理性が哀れっぽい。誘われた小蠅が肉の脂に落ちて、愉悦とも足掻きともつかない動きを見せる。アマネヒトはそうした光景をとても残念に思っていた。

「あのオバさんにしてみたら、肉も男も同じようなものなのかもね」

潮さんは、そう言って笑った。店の奥、仁王立ちして壁の品書きを見つめているオバサンは、たしかにそんな風な後ろ姿をしていた。それからふいっとトイレに向かったりすると、貪欲が服を着て歩いているみたいだった。

オバサンと相席だったオジサンは、がつんと壁を殴った。その音は店内の喧噪を叱りつけて静かにさせた。オジサンの真ん中分けにした清潔な前髪が、さらさらと揺れていた。歳のわりには撫でたくなるぐらいまっすぐだったから、それがなおさら口惜しそうに見えた。

「なんですか？　肉と男が？」

「見ちゃったの。今ね、あのオバサン、あのオジサンにキスしたんだよ」

潮さんはそう言うと、もう火の消えた鉄板の上で、堅くなった豚肉を転がした。

「なんで店の中で？」

「知らない。溜まってたんじゃないかしら。だから、あのオバサンにとったら、豚肉も男も一緒なのよ。欲望の対象なの。お腹減った、セックスしたい。じゃないですか？」

その言いっぷりはとてもあけすけだったけれど、アマネヒトには強がっているように聞こえた。弱虫が刃物を持ったみたいに。沈黙が生まれ、マンホールの蓋の上で豚肉が冷えていった。

「取引先か何かなのかなあ。逆セクハラですよね」

「そう？　逆セクハラ？」

潮さんは非難するような、嘲るような顔をした。潮さんのまんまるな目は、安っぽい蛍光灯の光を照り返して、キラキラと輝いている。言葉というものは、その意味と裏腹に、単純な美をよりいっそう煌めかせる。潮さんの輝きは、それまで見たことがないくらいに眩しくなって、それでもやっぱりマンホールの蓋の上の豚肉は冷えていって。

「じゃあ、されたら嫌なものなのかしら？　自分が好きな人にでも」

「それはまあ、好きな人にだったら……」

言葉が続かないのは、アマネヒトが言い渋ったからじゃなかった。潮さんのぽってりした唇が、アマネヒトの唇を塞いでいた。塞がれた言葉はもごもごと、喉の奥で踊っていた。緊張で乾いた唇は、潮さんの唇が離れて行くと、逃すまいとすがるように、ぴりりと貼りついて、それから剥がれた。

「どう？　やっぱり嫌かしら？」

自信たっぷりな言葉とは裏腹に、潮さんの声は震えていた。薄いジャージ素材のカットソーの下で、大きな胸が膨らんだり、萎んだりを繰りかえしている。

潮さんは弱っている、八月のペンギンみたいに――アマネヒトはそう思いながら、冷め切った豚肉をぱくぱくと口に運んだ。

店を出ると、潮さんは駅へと続く商店街とは逆に歩き始めた。白猫の看板があって、どうしてもそれを見たいらしい。二人は新大久保の窒息しそうな路地をとぼとぼと歩き始めた。貧しかった時代の亡霊がそこかしこに蹲（うずくま）っている。潮さんはその一つ一つに愛おしげな注釈を施した。

「私はこの町がたまらなく好きなの。破滅派があるからってだけじゃなくて、見て、あの駐車場！　共同墓地みたいでしょ！」

黒いマニキュアがてらてらと光りながら、饒舌に示していく。やがて、その指はお城みたいな建物を指して止まった。シャローム。丸みを帯びた書体が、ピンク色の壁に白抜きで書かれていた。潮さんは白猫を眺めながら、うっとりと微笑んでいた。

「シャロームって、どういう意味なんでしょうね。人の名前かな？」

潮さんは答えなかった。陶酔が彼女を包んで、ますます子供にしていくみたいだ。

「ねえ、潮さん。シャロームって？」

アマネヒトの言葉で、ああ、と気づいたように振り向いた潮さんは泣き出しそうな笑顔を作った。

「受付の人に聞いてみましょう。なにも答えなかったとしたら、大した意味なんてないんじゃない？ただ、白猫がかわいいってだけよ」

答えを待たずに潮さんはずんずんと歩み入る。門柱からずっと続く柊が、ようこそと言うように葉を茂らせていた。

「すいません、シャロームってどういう意味ですか？」

受付の小さな窓を覗き込んで、潮さんはいった。受付のオバサンは困ったような顔で「知りません」と答えた。

「そうですか」

「それだけですか？」

「いえ、入ります」

「休憩ですか、宿泊ですか」

「長い長い休憩でお願いします」

潮さんはそういうと、悪戯っぽく笑った。受付のオバサンは鼻から息を吹き出して、８０８と書かれた鍵を投げ出した。そのチャリンという音は、世界を解く鍵みたいに鳴った。

それから時間がたって、潮さんが裸のまま「煙草が切れちゃった」とキャスターの箱を握り潰しても、アマネヒトの耳には、潮さんが切なく歌う声がまだ残っていた。なにを話しても、いままでとは違った風に聞こえる。これまで何度か話題に上った太宰治についても、潮さんの声は愛撫の余韻を残していた。

「太宰には太田静子って愛人がいたでしょう。子供もできたのは知ってる？」

「はい感人さんから借りた本に書いてありました」

「そう。なら話は早いわね。あの中で、太宰がこう言ってたの、覚えてる？　俺は子早いなあ。恨むよ」

「そんなのありましたっけ？」

「あったわよ」

潮さんはむっとしたように身体を起こした。ふっくらと丸みを帯びたシルエットが、薄暗い室内に浮かび上がる。

「たった一回で、できたなんて、信じられる？　あの太宰さんよ？　もっとたくさんしたと思わない？」

「どうですかね。もしかしたら、そういうこともあるかもしんないです。わかんないけど」

「そう。あるのよ、たぶん」

そう言って、潮さんは両手をシーツの上にはわせた。さわさわと衣擦れが鳴る。胸がざわめく。

「私もそうよ」

潮さんは心底嬉しそうに、顔を近づけた。

「私も子早いの。きっとね。すっごく子早いのよ」

潮さんは怯えたような顔で笑った。その歌声が暗闇に吸い込まれると、ぞっとするような美しさが残った。身も心も皇子のものだった潮さんに横恋慕をしてしまったという罪悪感が、かすかに黴くさいベッドの上でむくむくと大きくなっていった。


アマネヒトは自分の言葉というものを長らく持たなかった。だから、はじまりが横恋慕だったことについても、彼自身、どう言えばいいのかよくわかっていない。だからといって、君のことをどうでもいいと思っているというわけじゃない。うまい言葉を作り出せないんだ。何万言を費やしたって、どうせ他人が作った言葉だ――アマネヒトはそういうことをとても気にする。それは他でもない、彼が詩人だった――いや、詩人であろうとしているからだ。なぜ彼がそう志したかについては、彼の出生が教えてくれる。

雪さえも同情して優しくつもるぐらい寂しい町に、彼は生まれた。彼の父は七十歳で、母は二十一歳だった。厳格な禅宗の僧だった父が狂い、まだ高校生だった母を辱めたのは、母の美貌のせいだった。四年の結婚生活があって、二人目の子供が生まれたとき、父は僧衣を纏ったまま、涅槃に旅立った。残された若い母は、年老いた夫の即身成仏を前に途方に暮れ、門下生達の勧めを断り、ありきたりな荼毘に付した。ゆるゆると立ち上る煙はいつまでもその町を包み、母がミシンを踏み始めるまで離れなかった。

出生の秘密は、いつも人を特別な存在にしてしまう。アマネヒトもその例に漏れなかった。

小学校四年生のとき、アマネヒトが所属していた四年三組は、合奏コンクールで『トロイカ』を演奏することになった。彼は必死に手を挙げて、大太鼓を勝ち取った。当時、姉の海が聞いていたテクノミュージックみたいに、四つ打ちでドンドン叩いてやるつもりだった。ドンドンドンドダッタドンドンドンドダッタ……そのリズムに乗った『トロイカ』は同級生たちを熱狂させるだろう。

体育館ではじめて合同練習があったとき、シャツの胸元を開けた女教師は、アマネヒトの試みに媚びたような質問をぶつけた。

「なんで、そったに速く叩くってや？　みんなちゃんと楽譜通りにやってらべじゃ」

「ぼくも楽譜さ書いであることとやってますよ」

「いっぺー叩いだんだべ？」

「けど、楽譜さ書いてる分は叩きました」

「それは、すんげーアイデアだごと！　んだけど、今日はダメさ。みんなでやってんだがら。たくさん叩いたらばわねんだ」

アマネヒトには信じがたかった。速い『トロイカ』がダメだなんて。彼は失望し、その場にバチを落とした。そして、そのカツンという音の余韻が消えるより前に体育館を抜け出し、学校へ戻ることはなかった。女教師はアマネヒトの家に来て、土間から三歩下がって土下座をした。「学校さ来てけろ」と畏まる彼女に、母はミシンを踏んで応えた。

中学校へ上がったときなど、小学校を何度も脱走した子が中学校へ来たというだけでは説明がつかないほど、大人たちは喜んだ。彼はオシラサマみたいな信仰を集めていた。美しい、ただそれだけの理由で。

長じるほど、彼の遁走癖には磨きがかかった。修学旅行中には、京都の銀閣寺でアマネヒト一人だけが他の学校のバスに乗り込んだ。彼は見よう見まねのいんちきサルサを踊り、カスタネットを鳴らしながらタラップを登った。他校の生徒たちは陽気な侵入者を歓迎した。アマネヒトは自分の同級生たちと同じように、彼らを愛した。彼は博愛主義者だった。

もちろん、中学校は生徒が博愛主義者かどうか、気にするところじゃない。しかも、彼は同性の嫉妬の対象になり始めていたからね。度を越して愛されるのがどういうことか知らなかった体育教師は、追いかけてきて、アマネヒトを引きずりおろした。

「おめ、迷惑かけたらわがね！　なんだ、その格好！」

アマネヒトは宿泊先の用具室からビニール紐をくすね、ポンポンを作っていた。体育教師の目はその揺れる様を追った。アマネヒトは釈明をするように、そのポンポンを掲げた。

「んだけど、みんな喜んでらっちゃ。これから歌うのさ！」

「やめろ！」

失望するには十分な言葉だ。アマネヒトはそのまま京都を去り、新幹線で岩手へと帰った。駅へ見送りに来た同級生たちを窓越しに見ていると、すぐに小さな星となった。

少しずつ成長するにつれ、同性の嫉妬が耐え難いぐらい鬱陶しくなってきた。級友たちもはじめこそ、からかうつもりでアマネヒトを女子更衣室に放り込んだりしていたが、はしゃいだ女子たちによってむしろ歓迎されたことをきっかけに、からかう余裕さえなくした。女たちは彼に好かれようとするばかり。アマネヒトが対等に付き合える友人は、書物以外になくなった。孤独を愛する少年の髪は六月になると湿気で艶めいて、いつも女につけられた。それでも、彼はひたひたとつけてくる六月をふりきって、書物を繰り続けた。

その甲斐あってか、アマネヒトは奨学金を取り、盛岡群青高校という県下有数の私学に進んだ。全寮制だが、自由でバンカラな校風で有名なところだ。新生活への期待は大きかった。理知的な人間は不条理な嫉妬などしないだろう。彼は期待した。

そう、書物にまみれて過ごした孤独の期間は、アマネヒトを少しだけ変えていた。それまでは愛される者の特権として、他人に無頓着だった。存在している、ただそれだけで喜ばれた。他人に期待するのなんて、生まれてはじめてだった。

とはいえ、すぐに彼は失望してしまった。高校の同級生たちはひどく愚かだった。全員が口の端から涎を垂らしているように見えた。書物が持つ悪い面だ。読書というのは、他人の思考の上で踊るというだけのことなのに、自分がなにかを創造した気になってしまう。アマネヒトもまた、その悪癖を身につけていた。

彼の遁走癖にはますます磨きがかかった。高校時代、十九回も行方をくらまし、三回は捜索願を出された。そして、戻るたびに許され、感謝さえされた。彼はそうしたすべてをくだらないと思った。

やがて彼は十八になり、書いた。何を？　詩ではなく、退学届を。孤独と遁走の中で言葉との格闘を続けてはいたが、まだほんとうの言葉は書けないと感じていた。夜の窓ガラスに当たる羽虫の音や、烏泊山（からすどまりやま）の稜線を縁取る夕日の朱、穂を揺らす米の香り。あらゆるところから岩手の物悲しさが入り込んできた。もう、岩手は限界だった。逃げるならもっと遠くだ。彼は卒業の春を待つことなく、すべてを置いて逃げ出した。その夏、岩手には悲しみの雨が降り、濁流で八人が流された。


もしかしたら、君は不思議に思うかもしれない。高校を中退したアマネヒトが、どうやって東京で生活できたのか。

その疑問はもっともだ。きっと、アマネヒトが単身都会へ出たとしても、うまくは行かなかっただろう。どんな場所でも人付き合いというのはある。そして、そのほとんどは、言葉の贋金（にせがね）使いだ。アマネヒトは彼らを拒絶し、その場を去っただろう。いや、彼は実際に去った。それでもなんとか東京にへばりついていることができたのは、他でもない、帰る場所があったからだ。

アマネヒトの姉、海については手短にすまそう。早晩、君も関係を持つことになるだろうからね。

天地海はアマネヒトの四つ上の姉だ。遁走癖のある弟とは違って真面目な人だ。洋服の色を曜日ごとに決めているぐらいに。でも、彼女を異常に見せる特徴がたった一つだけあった。それを尋ねると、十人が十人こう答えた。——あんな綺麗な子は見たことがない。彼女もまた美しかった。しかも、女だ。岩手の神川は悲しいぐらいの田舎町だからね。彼女の後ろにはいつも行列ができた。並べば何かがもらえるというわけではないんだろうけれど、誰もが虚ろな瞳のまま、彼女のあとをついていった。当の本人は、その黒くまっすぐな髪をなびかせて逃げるように歩いていた。おかげで、彼女は県内で一番速く歩く十七歳になれた。

おそろしい美人が岩手の山奥にくすぶっているというのもありそうな話だけれど、彼女の場合はそうならなかった。高校の六個上の先輩——つまり、ほとんど赤の他人だ——が噂を聞きつけ、彼女を東京へ連れて行くことにした。君ならみんなを幸せにできるし、もう速歩きをする必要もないってね。無邪気な海はみんなを幸せにできる魔法を信じた。

アマネヒト十八歳の夏、彼は海に電話をかけた。

「アーだんもこっちさ出てきて、仕事したらえがべや。私も今のアーだんとおんなじ歳に上京しだったしよ」

すでに芸能生活が四年に及んでいた海は、こともなげに言った。

「んだな。東京さは行ぎてぇけど、母さんが心配だっちゃ」

「気にしなくても大丈夫だべ。母さんはまんだまんだミシンも踏めるべし。それに、今なら寮さ住まわせてやることできっからよ。そのうちモデルの仕事も取れるようになんべ」

「モデルは興味ねえな」

「んだが？　アーだんならできんののな。他にやりたいことあるってか？」

結局、その問いには答えないまま、アマネヒトは東京行きのやまびこに乗り込んだ。神川の赤松はさやさやと鳴りながら、惜別を歌った。

東京駅丸の内北口でアマネヒトを待っていた海は、アマネヒトを認めるなり、走り寄って抱き締めた。アーだん！　イントネーションの歪んだ叫び声が立ち上り、丸天井にぶつかった。無表情に見えた通行人たちは、ほほえましげに姉弟を眺めていた。アマネヒトは珍しく恥ずかしがった。人前で近親相姦をしているみたいに感じたんだ。海が着ていたのは、木曜日の色、緑と茶の花が咲き乱れる、薄い布地のワンピースだった。抱き締められていると、ティッシュ一枚ぐらいしか距てていない感じがした。

捕まえたタクシーは高輪台へ向けて走り出した。行き先は寮のあるマンションではなく、海の所属する芸能事務所ファブリシオだという。

「あんな、マネージャーの小圷(こあくつ)さんって覚えてらが？　私をこの世界に放り込んだ人よ。あの人よ、もーしかしたら、アーだんに興味があっかもしんねえのさ。仕事もらえっかもしれねえぞ」

「仕事って芸能界のが？」

「んだ。多分、雑誌か広告のモデルだと思うけど。うちはモデルが多いのさ」

こうした会話にさえ、煙草の吸差しほどの嫌味ったらしさもなかった。なにせ、謹厳な七十歳の坊主を狂わせるほど美しい遺伝子を受け継いでいるのだ。アマネヒトのアーモンドみたいな目は一度見たら忘れられず、顎は細かったし、すべらかな頬が透明な印象をもたらした。ヨーロッパのコレクションに出ることは難しかったかもしれない。でも、日本のファッションシーンが求めるたおやかさを備えていた。事実、タクシーがファブリシオの前に停まってから三十分後、アマネヒトはマイナーなストリートファッション誌のモデルに採用された。撮影はその一週間後だった。

アマネヒトが載った雑誌は残っている。『ＳＰＩＫＥ』13号、啓文舎、二〇〇五年、四八頁だ。機会があったら見てみるといい。傑作だよ。アマネヒトはパーカーのフードを深くかぶって、カーゴパンツを穿いている。ズボンは大きすぎて裾がもたついて、その襞から裸足の爪先が覗いている。そして、なぜか右手の毛布を引きずっている。「ライナスの毛布」なんて言葉があるけれど、幼さの抜けない感じに演出されているんだ。雑誌の雰囲気にも合わないし、アマネヒトは嫌がっていた。彼は弱さを演出するのが大嫌いだったから。口元は世界を呪う言葉を噛み潰していた。

なにはともあれ、美しい姉弟が高輪台のマンションに住んで、芸能関係の仕事をしている……そう書くとさも華々しいように感じるかもしれない。でも、前途洋々というわけにはいかなかったよ。それはアマネヒトの才能や美貌が足りなかったからじゃない。なんというか、彼は心の根っこで、陽の当たる世界を軽蔑してたんだ。

アマネヒトは次の仕事で見事にエスケープした。男性向け美容雑誌のカットモデルで《猫ッ毛・細面》役として、《ナチュラル・バイト・学校・合コン・デート》とシチュエーション別に五つの髪型を撮るというものだったんだけれど、《バイト》用の七三分けに撫で付けられている最中、すべてをかなぐり捨てて走り出した。

「装わなければ、愛してもらえないのか！」

彼はそこに居合わせたすべての存在意義をひっくり返すような言葉を残して、スタジオを抜け出した。ヘアメイクの華奢な掌はワックスまみれで行き場をなくし、最終的には自分の頭になすり付けられることになった。

海はクスクスと笑っていた。彼女は決して困ったりしなかった。「あいや、アーだんったら」と一人ごち、その涼しげな眼で同行していたマネージャーの小圷を見つめた。

「なんだよ、急に……」と、小圷は呟いた。「どうすんだよ、撮影は」

呆然とした口元が、言葉の続きを選んでいる。でも、うまく言葉は見つからない。小圷は寂しげに手を上げて、バイバイの仕草をした。きっと、彼は執着しない男だったのだろう。海さえいればいいのだ。行列のできる美人が、小さい芸能プロダクションに夢を見させてくれさえすれば。

たしかに、海はモデルとしてのキャリアを積み、それなりの成功を収めるだろう。すでにテレビにも出演したし、五本の指に入るファッション誌で看板モデルを務めている。そして、いつも鼻歌を歌っている。ほんとうに軽やかな人なんだ。彼女のスターとしてのキャリアがどこまで輝くかは、君がその目で確かめればいい。

さて、遁走から三日、高輪台の寮に戻ったアマネヒトは、相変わらず寛大な姉の海に勧められて、若者たちの町を歩き回った。渋谷、原宿、下北沢、御茶ノ水、中野、高円寺、吉祥寺、早稲田、池袋……。岩手の山奥から出てきた彼にとって、どの町も楽しげに歌っているように思えた。盛岡の駅前にもストリートミュージシャンはいたけれど、東京の街にいる辻音楽師には悲壮感がない。それは逆説的な理由になるけれど、たぶん、彼らの代わりなんていくらだっているからだろう。

ともかく、そういう創作者たちの中でアマネヒトが目を止めたのは、路上詩人だった。すでに下火になっていた創作活動ではあるけれど、若者たちの町にはちらほらといた。もちろん、彼らの紡ぐどの詩だって、アマネヒトの心を掴むことはなかった。ただ、傷ついた人々の心にすっと入り込むそのやり方が彼の気に入った。

アマネヒトが自ら師として選んだ男、坂道マゴコロとの確執については、君に詳しく伝えるまでもないだろう。マゴコロというのは雅号だ。アマネヒトは師匠の住所も、出身地も、本名も、何一つ知らない。たぶん、はじめから気に食わなかったのだ。胡散臭いヒゲも、無精を気取ったドレッドヘアーも、無雑作を装った絞り染めのTシャツも、小賢しいダテ眼鏡も、世慣れない少女が涙を零したときに浮かべる下卑た笑顔も、なにもかも。

《視線を少し／落としてごらん／そしてもいちど／あげてごらん／ほら、笑った》

アマネヒトはマゴコロの書いた詩をまだ覚えている。こんなクソみたいな詩は書くまいという、厳しい自戒を込めて。

では、唾棄すべきインチキ詩人と決別したアマネヒトはどうしたか？　似たようなことをやり始めたんだ。

これは君も少し不思議に思うかもしれない。アマネヒトの考えだと、詩は心を癒すものであってはならなかった。そんなものは、精神安定剤の代用品でしかない。でも、アマネヒトがあのくだらない路上詩人たちの美点として唯一認めたのは、自らの傷ついた心を言い表す術さえ知らない人たちの代わりに言葉を与えた、という点だった。

みんな、言葉を知らない。自分の心につけられる名前さえ知らないのだ。

そう、アマネヒトは博愛主義者だった。誰かの代わりに何かをするというのは、いつだって美しい行為だ。人は自分でしかいられない。だからこそ、身代わりという道化を引き受けるのは、美しい行為だった。

アマネヒトは代理詩人になった。君は疑問符を浮かべているね。確かにそうだろう。この言葉は世界初の独創というわけじゃないだろうけれど、よくある言葉じゃない。君がそう思うように、岩手県出身者としてはじめて代理詩人の計画を聞いた海も、こう尋ね返したんだ。

「そんで、なにすんだべ？　本っこ出すのが？」

「出さね。本になっかどうかなんてすったなことどうだて良がべ。詩ってのは本よりもずっと昔っからあったんだがらよ」

アマネヒトが自信満々に答えると、海はその涼しげな眼をぱちくりさせて、考え込んだ。アマネヒトの答えは姉が知りたかった「代理詩人の具体的な活動内容」について何一つ語らなかった。

ただ、海は寛大だった。嫉妬ばかりを受けて育つ美女が常にそうでなくてはならないように。

「そんで、アーだんはどんな詩ぃ書くってや？」

「あんな。結局さ、詩ていうのはよ、人の心切り裂くもんじゃなぎゃわがねと思うのさ。ぽよよんとしたほんわかな言葉っこ並べて、はい、よくがんばったな、辛がっだべ、いいんだよ、君はそのままでいんだっちゃ……なんて、全部くっだらねぇわげよ。んだべ？　甘ったるいお菓子みたいなのは犬の糞と同じなわげ。詩はビターチョコなわげよ」

「んだな。アーだんらしい意見だな」

「だがらよ、ぼくがみんなが心の奥底に隠してる呪いの言葉を読み上げるのさ。いってみたら暗黒の朗読者みでえにな」

「なんだか楽しそうだごど」

「んだべ？　だがらさ、ウンちゃんの知り合いで暗い人いたらば、紹介してや。ぼくがその人の呪詛を詩にしてやっがらよ。ぼくは代理詩人ってごとよ」

　というわけで、海がアマネヒトに紹介したのが、彼女が撮影のために借りる服の伝票に名前を記してくる女、小俣直美だった。某アパレル系商社一般職として勤めるが、その境遇が不遇だという。色気のない事務机にマチ針で留められて、同期入社の輝きばかりが自分の肌を刺してくる。本当は自分だって、セレクトショップの立ち上げに携わりたいと、苛立ちをキーボードにぶつける日々。メールでつづられた幾つかの形容詞だけでも、その人がずいぶん暗いということがわかってしまうものだ。

「私、なんかもう、そういう自分が全部嫌いで……」

小俣直美は、決して目を合わせようとしない話し方でアマネヒトに打ち明けた。

「それで、小俣さんは自分をどうしたいんですか？」

アマネヒトの言葉が高輪台のペット連れ込み可のカフェーで尖っていく。難詰の針をあちこちから突きつけられて、小俣直美は縮こまった。同席した海の手を触っては、おろおろと思い悩んだ。すくめすぎた肩からガーゼ地のカーディガンがするりと、涙のように落ちた。カフェ・マキアートお待たせしました。ちょこんと小気味いいプチお下げの女給が、怯えたようにカップを置く。テ・グラッセのお客様。あ、はい。はい、こちらのポットから注いでお召し上がりください。お客様はこちら、キリマンジャロブレンドになります。

「恥を曝すつもりがないなら、やめといた方がいいですよ」

女給はおそらくは十九、二十歳といったところ、アマネヒトと同い年ぐらいだった。あどけなさを頬の膨らみに宿した少女は、詩人の美しさに怯えていた。目を皿にして、下唇を突き出して、お盆を胸の前で抱えて、足早にテーブルを去った。

アマネヒトはテーブルにある硝子壺から角砂糖を取り出し、芝居めいた手つきでぽとりとコーヒーに落とす。雫がはねた。黒い涙がテーブルにぽたりと落ちた。

「どうしたいのかさえも、わからないんです。なんか、一番嫌いなのが、自分なんです」

「よくある悩みだね」

アマネヒトの呟きに対して小俣直美はコクリと頷いた。そして、そんなことは知っているというようにこう呟いた。

「それがまた嫌なの。だってよくあるんでしょ」

それは確かにそうかもしれない。君もそんな悩みにぶつかることもあるだろう。だが、詩人たらんとするアマネヒトは、個性的になろうとすることなんて愚の骨頂だと考えている。ありきたりで無個性で、誰もがどうしようもないと諦めたところにこそ聖地がある。

アマネヒトは小俣直美を連れ、表参道の交差点に向かった。かつて坂道マゴコロに教わった「悩めるギャル」たちの一大漁場だ。そして、自分の行き先ばかりを気にしている群像たちに向けて、女の悲しみを詩に託した。

馬鹿なあたしが見た夢は
ブラウン管で踊る夢
カーテンコールを断って
新しい衣装でまた映る

終わりにがっかりして、私はまた夢を探した
十五歳年の離れた妹が見つかった
なんて恥ずかしいんだろう
妹にかまう親も、それを羨む私も
テレビぐらいしか話しかけてくれない
ぶいんぶいんとチャンネルを押すたびに鳴いて
あたしはまたテレビを見る
鳴きやまないブラウン管
最近じゃもう、砂嵐も見なくなった

これは彼の詩ではない。あくまで代理詩なんだから。大事なのは、小俣直美が喜んだということだ。耳を真っ赤にし、恥ずかしさに押し潰されそうになりながらも、その唇の端に喜びを宿して。

アマネヒトはわかっていた。音楽に耳を閉ざし、言葉の世界に迷い込む者がいつもそうであるように、この女は人を窺うことばかり考えて生きてきたのだ。遅れてきたオリーブ少女たる小俣直美が、ほんとうはオーガニックなお菓子作りも、三軒茶屋のおシャレアパートも、フレンドリーなわりに値

段の高い古着屋も、みんなみんな憎んでいて、テレビという没個性的な夢を愛してしまっているということ――アマネヒトはわかっていた。

これで、代理詩人としての活動は成功の端緒を切った。端的に言って、七十の坊主を狂わせるほど美しい女の遺伝子を受け継いだことが役には立っただろう。うっとりするような美少年に自分の本心をズバリ言い当てられる――それが楽しくて仕方ないという潜在的なマゾっ娘はたくさんいるだろうから。


口コミで人を集めるのが面倒になりはじめた頃だった。海は愛くるしい弟が今にも遁走しそうな気配を見せたことを心配して、パソコンの前に呼び寄せた。

「ほら見てみろって、アーだん。私、こういうのやってんのさ」

「なにこれ」

「ミクシィよ。小坏さんにやれって言われたのさ。色んな人と交流してお仕事の幅広げろってよ」

「すったなこと、意味あるってが？」

「わがらね。だけど、ファンクラブみたいなもんだと思えばいいんじゃねえが。ほら、アーだんもさ写真載っけりゃいいと思うんだけどな」

写真という言葉で詩人はむくれた。詩は言葉だけで成り立っている。カリグラフィーでさえ、認めていないのだ。弟の顎に皺が寄るのを恐れた海は、慌てて言葉を継いだ。

「したらば、ブログにしたらえがべや。代理詩人やってるっていう日記を書いてよ、検索さ引っかかるようにするのさ。したらばお仕事の依頼もくるべや。私もそっだなふうにしてもらった仕事もあったしよ」

「すったに上手くいくべが？」

「行くよ。代理詩人なんて、どうせ中国のサイトしか引っかかんねえべし」

そして、アマネヒトは書いた。何を？　詩ではなく、ブログを。それが自分のはじめての詩になってしまうのはいかにもみっともないので、これでもかというほどの日記風文体にし、その日の出来事だけをつらつら綴った。最後に《代理詩人のお申し込みはこちらまで》とメールへのリンクを張っておいた。そして、一ヶ月ほどが経つ頃、検索エンジンに引っかかっているかと確認するために〝代理詩人〟とフレーズ検索にかけた。一位ではなかった。

「こりゃ大変だ、ウンちゃん！　早く来てけろ！　代理詩人がいるっぺよ！」

弟の叫びに怯えた姉が駆けつけると、ディスプレイには《破滅派——人生を諦めちゃった人のためのオンライン文芸誌——》と出ていた。ヒットしたのは〈執筆者一覧〉のページで、ぱるおという人間が代理詩人を名乗っている。昭和三十五年生、出身地は森。たわけ切ったプロフィールのせいで、アマネヒトの志は汚された。

「新しいと思っても、先やってる人がいるもんだ。まったく、芸の世界は楽じゃねえな」

落胆したため息をついてみせる姉を睨んで、アマネヒトは姉に借りた部屋着の黄色いジャージ――金曜日の色――を着たまま駆け出した。

サイトに書いてあることがほんとうなら、破滅派編集部は丸ビルとやらの一〇階にある。ついこの間まで岩手で本ばかり読んでいた少年が、丸ビルオフィス階にはジャージだと入れないと思うわけがない。彼はイーハトーブに吹く風となって、東京駅八重洲地下街を駆け抜けた。やがて辿り着いた丸ビル。受付のお嬢さんぐらいなら簡単に籠絡できただろうが、人生の悲哀を背負った警備員たちが彼を阻んだ。

「どいてくださいよ！　ぼくは破滅派に用があるんだ！　試してやるんだ！」

「何を言ってるんだ、君は！　過激派か！」

「違うよ！　破滅派だよ！　このブタクサどもめ！」

長いもみ上げの蒸し暑い警備員に取り押さえられた天使が喚くのを、道ゆく雑踏が眺めていた。IDカードを持ったビジネスマンたちが帰宅の途についている。

やがて、叫び声が聞こえた。振り向くと、スーツの雑踏の中から逆行してくるスラックスがある。ぬっと一つ突き出た丸坊主の頭が、アマネヒトをまっすぐ見据えていた。

「君の言うとおりだ！」

丸坊主は再び一喝した。行き交う人々は一様に目を向け、一様に怯えながら去る。臆することを知らないらしい坊主頭は、ゆっくりと歩み寄ってきた。五メートルは離れていたというのに、目を瞑りながらよたよたと、大声で朗読しながら。

「ブタクサども！　毎日の出勤！　四月（よつき）に一度の昇給などという口約束！　現代の使い捨て肉体労働！　目の疲労！　キーボードを叩きすぎることによる腱鞘炎！　円座を使わずにいたことによる疣痔（いぼ）！　日々更新する技術、昨日学んだことは明日には知識の死骸となる！　さようなら、ブタクサＩＴ社会！　オールヴォワール……オールヴォワール！」

そこまで言い終える頃には、すでにアマネヒトと警備員の目前にいた。坊主頭は目を閉じ、口を閉じ、意識を閉じ、深い瞑想のような状態に自らを閉じ込めているようだった。

「それは、なんですか？」

アマネヒトは尋ねた。得体の知れなさへの期待を込めながら。

「オールヴォワール、ＩＴ社会」

「そうですか……で、あなたはどこの何者ですか？」

「このエントランスをくぐるまでは株式会社コミュニケーションエイド製作部の花藤義和だったのだが……ここをくぐれば、破滅派の、ほろほろ落花生」

得体の知れない坊主頭が使用したIDカードを眺める警備員たちのもみ上げが、疑いにわさわさと鳴る。が、エントランスは予想に反して緑のランプを点灯させた。

「さ、君もこっちに来なさい」

「その前に、なんなんですか、その名前」

「私の筆名……いや、本当の名前だ」

坊主頭はにやりと笑った。アマネヒトも笑みを返す。

「ほら、警備員のみなさん。うちの詩人をそんな風につかんじゃ駄目ですよ」

緩くほどけていく門番達の指を振り切って、アマネヒトはエントランスをくぐった。ほろほろ落花生はスーツの胸元から携帯電話を取り出し、忙しげなビジネスマンよろしく、電話をかける。

「あ、もしもし花藤です。鴻山課長いらっしゃいますか？　はい。ええ、よろしくお願いします。はい」

坊主頭はそこまで言うと、携帯の送話口を手で塞ぎ、「ちょっと待っててくれたまい」と囁くと、再び電話に囓りついた。

「はい。花藤です。そうです。はい。すみません、いままでよくしてもらっていたのに。ええ。いや、裏切るような真似をして。はい。また改めて伺います。ええ。今日はちょっと……はい。はい。そうですね。ええ。おっしゃるとおりです。返す言葉もございません。ええ、ええ。アデュウ」

唐突に電話を切った坊主頭は、アマネヒトの肩に手を回すと、これまた唐突に「さあ行こう、兄弟」と歩き出した。

「今の電話、なんですか?」

「ん、今日辞めたの。会社。破滅派に打ち込むために」

その言葉を聞いた瞬間、アマネヒトの腕もまた、ほろほろの肩に回っていた。軽やかな遁走者たちの群れとして。

東京都中央区丸の内二―四―一。丸の内ビルディング一〇階に破滅派はあった。ベンチャー支援のためのオフィスをパーテーションで区切ったそのまた一角、一台のマッキントッシュG5がファンの音を幽かに響かせていた。

「これが破滅派?」

「そうだよ。そう書いてある」

たしかに、ディスプレイは破滅派というロゴを映し出していた。ギター弾きが黒い亡霊になったような抽象画をバックにして。

「これはウェブサイトですか」

「いや、船」

船？　しかし、アマネヒトは尋ね返すことをしなかった。ほろほろ落花生が歌うように言ったからだ。それは確かに船なのかもしれない。幾人(いくたり)もを引き連れて、どこでもいい、どこかここではない場所へ連れて行ってくれるもの。

ほろほろ落花生は、開いていた画面を閉じ、インターネットブラウザＳａｆａｒｉを開いた。Ｇメールを開き、「おうじ」と入力する。それを変換するだけで、メールアドレスになった。辞書ツールに記憶させているのだろう。パソコンを使い慣れた人間のやり方だ。

「さあ、君の名前を入れてくれたまい。入るんだろう、破滅派に」

アマネヒトは頷いた。なにがなんだかわからないと、踵を後ろに出す男ではなかった。慣れない手つきながら、キーボードを叩く。あまちあまねひと。

「変換はこれでいいんですか。ぼく、マック使わないいんです」

「うん。スペース押せばいい」

「でも、うまく変えられませんよ。文節変換はどうやるんですか」

「私が入れよう。どんな字だい？」

「てんちにあまねくひとです」

「天地に遍く人？　偏在の遍？」

「そうです。それで天地遍人って読みます」

「君はすでに雅号を持っているのか？」

「いえ、本名です。それに、ぼくはまだ詩人じゃなくて、代理詩人だから、筆名を持つつもりはありません」

ほろほろ落花生は変換しようとする指を止め、アマネヒトを見た。そこにはディスプレイの光が羨みと憧れになってはしゃぎ回っていた。

「それで、ほろほろさんはその船でどこに行こうとしているんですか？」

ほろほろ落花生の痩せて尖った顔に、深い皺が刻まれた。ゆっくりと鼻を撫で、笑いを噛み殺している。

「喩えでもいいかな？」

「わかりやすければ」

「君、コロンブスより前の世界がどうだったかって、知ってるだろう？　なんか亀だか象だか、よく知らないが、巨大な動物がフリスビーみたいに平べったい世界を支えてるんだ。で、世界の果ては滝になってる……ちょっと待ちたまい、この『世界の果て』ってとてもいい言葉じゃない？」

アマネヒトは頷いた。ほろほろ落花生は嬉しそうに頷き返しながら、キーボードをいじりだす。かたっとエンターキーを押す音が、規則正しいダンスのようなリズムを刻む。画面には〈le bout du monde〉と表示された。

「世界の果て……かしこにはあるのはただこれだけ、秩序、美、奢侈、静謐、悦楽」

堅苦しい言葉を口から紡ぎ、それでもほろほろ落花生はうっとりとしていた。固い飴を柔らかい頬の粘膜でゆっくりと溶かすように。

「それって、ボードレールの詩じゃないですか？」

「そうだよ。『旅への誘い』だ。ポイントは奢侈ってとこだ。これ大事。お金儲かる」

「破滅派って儲かるんですか？」

「ウイ」

ほろほろ落花生は笑顔で答えたが、からかうようだった頬がすとんと落ちて、急に真面目な顔になる。

「いや、そうじゃない。そうだけれど、そうじゃない。大事なのは、実際に儲かるってことではない。儲かるかもしれないということだ。大事なのはいつだって、かもしれない、だ」

　自分でうむうむと納得しながら、ほろほろ落花生はディスプレイを覗き込んでいた。ディスプレイは彼を励ますように首をもたげている。四分割された画面には、それぞれグラフと地図が表示されていた。

「これはアクセス解析の画面なんだがね、見たまい。破滅派は世界中に広がっている。人数はとても少ないが、世界中にだ」

「あ、ベンチャー企業なんですね」

　アマネヒトは一人合点した。人が二人も入れば熱の籠もる狭い空間がオフィスだとは考えづらい。しかし、仮にも丸ビルのオフィス階にあり、そのパーテーションの外にはぼんやりとではあるけれど、幾つかのＳＯＨＯが構成されている。最近流行(はや)っているというカフェ形式、社員ごとにデスクを与えず、自由な形式で働かせるやり方だ。たとえ小さくてもパソコン一台あれば会社にはなる、という事例は、モデルの仕事を回してきた編集プロダクションで見ていた。たぶん、破滅派はＩＴベンチャーかなにかなんだろう。小さくても、船は船だ。

「会社はほろほろさん一人だけでやってるんですか?」

「いや、もっとたくさんいるよ。十ぐらいいる」

十という言葉は、まるで重みたいにずしりと聞こえた。この小さな船に十人！　よく見れば、マックの白いキーボードは黒ずんでいた。叩きすぎたせいで、ＡＳＤＦＪＫＬ；が汚されている。この船は沈むだろう。

「ほろほろさんが社長なんですよね」

「いや。私じゃない」

「じゃあ、ぱるおさんっていう人ですか」

「ほお、ぱるおさんを知っているとは、君もコアだね。だが、代表は『おうじ』だ。君もそのうち会うことになるだろう」

「でも、ぼくは詩人になりたいので。働くのはちょっと……」

「働くなんて大袈裟なものではない。見てみたまい、こんな小さいところで働けるか」

ほろほろ落花生は両手を広げ、両脇のパーテーションを押さえて見せた。沈没しようとしている破滅派丸の船腹を内側から支えるような仕草だ。でも、アマネヒトの視線はすぐに下へ落ち、黒ずんだキーボードの文字を追っていた。ＡＳＤＦＪＫＬ；と、指を置く場所がやはり黒ずんでいる。そして、そこは小さく陥没している。いまにもへこんだまま戻ってこなくなりそうだ。

「こんな高そうなところに借りてたら、すぐダメになっちゃいますよ」

「大丈夫。タダだから」

「え、なんで？　高いんじゃないですか？　東京のど真ん中ですよ。田舎者だからって、馬鹿にしないでください」

「本当だよ。ここはベンチャー企業専用のフロアなんだ。ちょっとコネがあってね。そのベンチャー企業のそのまた一角にタダで間借りしてるんだ」

「でも、それにしたってタダになりますか？」

「なるのだよ。なぜなら、我々は破滅派だから！」

ほろほろ落花生は得意げに胸を反らした。アマネヒトの背を高くしたような細身の体型でも、得意げになれば大きく膨らむ。パーテーションはみしりと音を立てた。アマネヒトの想像の中で、破滅派が外壁を押し倒して外に膨らんでいった。

「じゃあ、破滅派はいま、上り調子なんですね！」

「いや、全然」

ほろほろ落花生は、またマックＧ５に齧りついた。言い捨てたのはふざけたからというより、なにかを待っているからなんじゃないか——アマネヒトの直感を裏付けるようにほろほろ落花生は付け加えた。

「でも、そんなことは問題ではない。事件は後からそうだったと気づくものなのだよ、アマネヒト君」

アマネヒトが答えるよりも先にメールが届いた。

RE: 破滅派通信
なんだこのイカレタ名前の奴は？　逃すんじゃないぞ。今日中にカラオケにでも行って、がっちりハートをキャッチしろ。明日には戻るから、なんとしても連絡先を押さえておいてくれ。
ちゃお
紙上大兄皇子

「あ、これが『おうじ』ですか」

「うん、見ちゃった？　メール」

「ええ。見ちゃいました」

「そう、『かみのうえのおおえのおうじ』だよ」

「変わった名前ですね。しかも、ぼくのハートをがっちりキャッチしろって」

「あ、そこまで見ちゃった？」

「はい、しかもカラオケ行けって」

「そう。そこまで見ちゃったんだ。好き？　カラオケ」

「いや、特に」

「でも、君はカラオケに行くであろう」

その言葉どおり、彼らはカラオケ館に行った。そして、アマネヒトはがっちりとまでは行かなくても、それなりにハートをキャッチされた。そう、信じがたいことに、ほろほろと過ごす男二人のカラオケは代理詩人の心を掴んだのだ。『十五の夜』を、『愛は花、君はその種子』を、『残酷な天使のテーゼ』を、『サン・トワ・マミー』を歌い、そして、その合間にボードレールの朗読を混ぜながら。

とりわけアマネヒトの心を掴んだのは、なぜかほろほろが持参したアブサンの小瓶だった。彼はブリーフケースの中から——彼はさっきまで会社員だった——緑色の小瓶を取り出すと、得意げに机に置いた。ラベルの隅に小さく書かれた〈ＡＢＳＩＮＴＨＥ〉の文字がアマネヒトの心を躍らせる。その緑色の液体は、十九世紀の詩人たちにとって、ポエジーを——詩の魂を——身体の内に開く鍵だった。

「君がもし詩人になりたいなら、形から入るのも大事かもしれない。なにせ、詩には形式が大事なのだから」

氷の上にアブサンを滴らすと、白く濁る。ほろほろは儀式めいた手つきでゆっくりとグラスを回した。アマネヒトは酔った、そして詩について話した。怪しい輝きを放つ氷をしゃぶしゃぶしながら。酩酊に指を震わせ、呂律も回らない。感覚の悪魔に取り憑かれた二人は、お互いをランボーとヴェルレーヌのように感じながら、ポエジーの中枢へと歩み寄っていた——という自覚を持った。カラオケ館の中で詩が生まれる。そんな馬鹿げたことさえ、アブサンの酔いの中ではありそうな気がしていた。

延長に延長を重ね、五月の西陽がビル肌を優しく撫で下ろした後、彼らはカラオケ館を出た。詩にまつわる夢から覚めやらぬ足取りで、アマネヒトがはじめて降り立った停車場、東京駅へと向かって行く。

「そうそう、言い忘れてたが」と、道すがら、ほろほろ落花生は呟いた。「詩人はなるものではない。生まれるものなのだよ。働いてダメなら、君は詩人じゃなかったということだ」

アマネヒトは答えなかった。それは時間が証明することだ。時間の代弁をするぐらいなら、何も言わない方がはるかにましだった。それに、代理詩人の父は七十歳の禅僧で、歳若い母を手籠めにし、そのまま昇天した。

「それでは、また。天地に遍く人さん。破滅派へようこそ」

ほろほろ落花生は、千鳥足で丸ビルへ戻って行った。連絡先を交換し忘れていた。真の出会いというものは、そんなものを必要としない――そんな考えが代理詩人をうっかりさせていた。

ほろほろ落花生との再会を期して一週間後に再び丸ビルの一〇階を訪れたアマネヒトは、全然関係のないオフィスの人に、船が消え去っていることを知らされた。マックG5が置かれていたパーテーションの空間は、がらんどうになっている。置いてかれたと途方に暮れて、アマネヒトの頬がぷくりとむくれた。

「さすがにね。警察沙汰はちょっと……」

SOHOの暗渠で途方に暮れていたアマネヒトに教えてくれたのは、三十前後の若き起業家、出雲氏だった。皇子とは大学時代から知己であり、進む道は違えど、着の身着のままで社会に飛び出した仲である。就職活動にいそしむ学友たちを軽蔑し、お互いの勇を賛え合った。幸い出雲氏の会社はクロレラの輸入で事業も軌道に乗り、行き場のない文系大学院生たちをバイトに使った発展途上国相手の商社として、順風満帆とは言わずとも、法人の体をなし始めていた。そんな矢先、かつての盟友がなにやら楽しげな運動を始めたので、無料で場所を提供していたという。

「なんですか、警察沙汰って？」

「なんかね、メンバーが一人捕まっちゃったらしいんですよ」

「なんの罪でですか？」

「そこまでは知らないけれど……皇子が自分から言ってきたから。迷惑はかけられないって」

「破滅派って危ないんですか？　一体なんなんですか？」

「なにって……」

出雲氏はやぶ睨みの目を宙に向け、湧き出た思考を整理しているようだった。それは他ならない、破滅派の捉えがたさを物語っていた。

ノンフレーム眼鏡の奥に理知的な瞳を煌めかせる出雲氏が説明するところによると、破滅派とは、端的に言って、ＩＴ出版社だった。二十代の若者を中心に結成され、オンラインで文学作品を発表しているという。現状では同人誌だが、すでに合同会社として法人化してあり、将来的には儲けを出すつもりだという。ただ、どこまで本気かはわからない。合言葉が「間違っているのは世界の方だ」であり、そもそも団体名が「破滅派」を標榜するぐらいだから、これでもかというほどダメ人間が集まっている。

「ダメっていうのは……無能者たちですか？　全員無職ですか？」

「いや、仕事をしている人もいるんじゃないかな？　正社員としてバリバリ働いて、暇を見つけて破滅するそうです。多少の能力がなけりゃ、仮にも法人化することなんてできませんから」

出雲氏はやぶ睨みの目を落とし、世界の別の形相を見ているような顔つきになった。苦しみを知る顔だ。若くして小さな商社を立ち上げるために舐め尽くした辛酸が、銀行員のように清潔な彼の顔に幽かに影を落としている。ふっと息を抜いて笑う音も、グレーのスーツに赤のレジメンタルタイというとっちゃん坊やのような外見には似合わない。

「まあ、皇子は特別ですよ。彼の馬力には見習うべきところがある。うん。あなたも会ってみるといいですよ」

「どこにいるんですか？」

「百人町です。新大久保の。住所は……ちょっと待っててください」

出雲氏はしばらくたってから、プリントアウトした地図を持って来た。新宿区の中心部やや上方にポインタが写っている。退化して飛べなくなった虫がピンで標本にされているみたいだった。

狭い路地、外国人用の国際公衆電話、韓国語の看板、目の潰れた猫、民家のようなラブホテル。時代の亡霊たちが行き場もなくさまよう一画に破滅派の新しい本部があった。「ハイツ」と呼ぶのがふさわしい五階建てのビルで、丸ビルとの高低差がそのまま格調の違いを示す。ガレージになっている一階正面を除き、壁面はすべて蔓草で覆われている。

エレベーターがないため、階段で五階まで上がった。薄緑のペンキで塗られた鉄の扉が、プラスチックの板を掲げて待っていた。破滅派編集部。どう見てもそうとしか読めない文字で大書してある。白い長方形の真ん中に出っ張った古典的なチャイムを押すと、ジリリリと音がなった。チャイムの黒い枠は小さく欠けていた。

中から「どうぞ」と怒鳴る声がする。正直に分け入ると、中の部屋は普通の1DKをぶち抜いてあり、入り口すぐ脇の水周りに幽かな生活感を残しているが、壁面は本棚に埋め尽くされているといった異様。部屋の奥にある鉄製のブックシェルフなど、窓もお構いなしでおいてしまっているから、棚と本の間から光が漏れている。空気を僅かに錆びさせる煙草の残り香。そして、薄暗い四十ワットの白熱球。書物の牢獄のような場所で、紙上大兄皇子はマックG5に向き合っていた。ディスプレイの青白い光が、白熱球の暖色の中で鉤爪のように鋭い目を照らしていた。陰影のある表情は、悪魔じみた抽象画に見える。

「おまえが天地遍人とやらか」

「ええ。なんか、出雲さんっていう人がここだって」

「ああ。なんだ、その、とりあえず……ようこそ」

言い終えると同時にキーボードを叩くと、皇子は立ち上がった。書物の牢獄の中心で、鷹のように鋭い目をした男が立っている。緑のラインが入ったポロシャツはフレッドペリーのもので、襟を立てているから、外国の囚人のようだ。しかも、下がフランネルのスラックスだから堅苦しいはずなのに、中に包まれている肉体が筋肉質なせいで、乱暴さが際立つ。アマネヒトは少し怯んだ。が、無駄な贅肉をすべて削ぎ落としたストイックな外見は、アマネヒトにとって好ましく見えた。

「おまえは破滅派に入るんだろ？」

皇子は笑顔を浮かべたが、その目はあくまで睨みつけるようだった。

「まあ、入るというより、ぱるおさんに会いに来たんです。ぼくも代理詩人をやってるんで」

「ヤバいな、それ」と、皇子は尖った目を丸くした。「しかも、名前がすごい。本名か？」

「はい。でも紙上大兄皇子っていう筆名もすごいですよ」

「本名じゃねえからな」

会話はそこで途切れた。皇子は再び椅子に戻り、マックＧ５をいじり始める。怒ったのかと思ったが、そうではなく、純粋に忙しいようだ。ペンタブレットを握り、何かを描いている。少し後ろまで近づくと、画面にはいくつものウインドウが開いていて、皇子はそれを切り替えながら凄まじい速度で作業をしていた。どうやら、一輪の薔薇の画像を補正して、ディスプレイ全体に薔薇の花を敷き詰める合成を行っているらしかった。

「なにやってるんですか、それ。破滅派と関係あるんですか」

「ねえよ。バイトだよ」

「おまえ、ズモちゃんに聞いたろ。ぱるおが捕まったって」

「ズモちゃんって、出雲さんですよね？　なんかそう言ってましたけど……そもそも、ぱるおさんってどんな人なんですか？」

「大丈夫だよ、心配しなくても。おまえの方がずっと詩人っぽいから」

アマネヒトは返答に詰まったまま、なんとなく部屋を見回し、目の前の本棚から一冊を取った。『元朝秘史・上』、チンギス＝ハンの伝記だ。その隣が『幸せの掴み方』という自己啓発本で、上の段には『日本近代経済史』全六巻がある。隣の棚には『ｐｅｎ』のバックナンバーがずらりと並んでいる。聞きたいことは次から次へと浮かんだが、詩人らしいと言ってもらえた、ただそれだけのことが代理詩人を乙女のように従順にした。

「ぱるおってのは」と、皇子は口を開いた。「まあ、痴漢で捕まったんだな、これが。電車でＯＬに抱きついちゃってさ。絶対うまく行くわけねえのに。だって、もう四十七歳だぜ？　そりゃＯＬだって準備できてねえよ。四十代のオッサンに抱かれるためには、それなりの心構えがないと」

「ぱるおさんって、何やってる人なんですか？」

「よく知らねえけど、樵だってよ」

「樵？」

「自称な。実家が和歌山あたりで林業やってたんだと。親の脛かじってプラプラしてたら、その歳になっちゃって、まあ、パラサイトのなれの果てだろ。体裁悪いから、樵とかぬかしてたんだ。うん」

「なんで破滅派に入れたんですか？」

「おまえも会ったほろほろ落花生っていたろ。あいつがどっかで拾ってきたんだよ。なんか面白いと思ってな。代理詩人ってあんまり聞かねえし。結局、詩を一回書いただけだったけど」

「どんな……詩を書いたんですか？」

「気になる？」

皇子はアマネヒトの方を向き、挑発する笑顔を見せた。なにもかも見透かそうとする皇子は高圧的だ。けれど、高圧的だとか、腰が低いだとか、そんなものはあくまで常識人同士の社交で問題になるだけで、アマネヒトにとっては犬にでも食わせておけばいい問題だった。

「まあ、詩を書くんなら、もちろん」

「だろうな。タイトルは『四十代の危機』。口語調の自由詩だ。飲み屋で知り合ったおっさんのために読んだらしいが、本人が痴漢で捕まっちまっちゃあな」

「どんな詩なのか、読ませてくださいよ」

皇子はにやにやと笑い、呟いた。

「俺が代わりに暗誦してやるよ」

水をかけても眠らない焔に
夜毎苛まれて四十路の夜
眠れ欲望
起つな男根
甦れ自制心

現況、駅は戦場で見本市だ
ホットパンツの境界線は
尻か？　太腿か？　いや、尻ではないか？
どうやらこういうことらしい

女たちは尻の端っこを丸出しにして歩いている
ヘソの下五センチはもう生殖器の一部だ
駅では、そういうものすべてが
俺の手のわずか三センチ先にある
何一つ手にすることなく老いさらばえつつある俺の手の
わずか三センチ先に

イマジン
内なるジョン・レノンは歌う
想像してごらん
スーダンには毛布もなく怯えて眠る子供がいると
いるだろう、そうだろう、それはそうだろう
たあくさんいるだろう
お腹減ったろう、拉致されるの怖いだろう
しかし俺はケツを触るだろう

ヒャッと叫んだ
……叫んだ！　女！
走る俺、走る惨めさの中で泣きながら俺
階段の一番下ですっころんで俺
袈裟固めで肺が押しつぶされて俺
鉄道警察の女に取り押さえられつつ俺
肘におっぱいが当たって興奮する俺
俺どうしようもない俺の中でなおあがく俺

眠れ欲望
眠れ俺
思い出も家族も故郷も矜りも
すべてを忘れてお休み俺

「結局、この詩は自分のために詠んだんだな。お休み、ぱるお。あんたのことは俺が書くよ」

皇子は目をつむり、十字を切った。そして、アマネヒトは戸惑った。いったい、何を言えばいいのだろう？　たしかに最後の畳みかける調子はいい。が、老いを自覚し始めた男の性欲の昂ぶりについての詩なんて、いいとか悪いとか、それ以前に興味がなかった。

「……破滅派って、みんなこんな感じなんですか？」

「いや、そうでもないぞ。大体、俺の専門は詩じゃねえし」

「皇子はなにを書くんですか？」

「俺は自称だけど、小説家。ほろほろ落花生もそうだよ。破滅派には三人の小説家がいて、もう一人は今買い物に行っている。どうしてもピザが食いたくなったそうだ」

「それって、どんな人なんですか？」

「深川シオだよ。サンズイに朝で潮だ」

「おばあさんみたいな名前ですね」

「まあ、本名じゃねえけどな」

「なんで、誰一人、本名を名乗らないんですか？　なんかオタクみたいですよ。仲間に入るのは構わないですけど……」

「みんながみんな、詩人なわけじゃねえんだ」と、皇子は瞳の中に燃える硫黄のような輝きを宿して言った。「詩人はいい。すべてを曝け出す生き物だからな。でも、他の奴はそうでもないんだ。見ろ、これはほろほろが書いたやつだ」

マックG5のディスプレイに示されたサイトには、横書きのテキストがつらつらと続き、各所にキャプション付きの写真が挿入されていた。白黒写真で、ストッキングをかぶったほろほろが写っている。

「この『川端康成論』なんだがな、どうも固苦しかったんだ。で、浅草行ったついでに、なんかオモシロ写真でもつけよっかな、と……ほら、これなんて見ろよ」

その写真では、ほろほろが素っ裸になり、川面でうつぶせに浮かんでいた。キャプションには「隅田川で行水するほろほろ氏／ストッキングをかぶって水に濡れると窒息します／良い子は真似しないでね」と書かれている。白い尻が、モノクロ写真の昏い水の中に、ぽっかりと浮かんでいる。

「まあ、本名ならたしかにここまではできませんけど……ぼくには教えてくれてもいいじゃないですか」

皇子はなにも答えないまま、にやりと笑った。そして、風が吹いた。机の上に置いてあった紙がひらりと落ちる。それまで書物の牢獄だった部屋の扉が開いていた。

「お、潮が帰ってきたぞ」

扉のところには、下着みたいに薄い生地のキャミソールだけを着た大女が立っていた。

代理詩人は海という美しい姉を見慣れているために、女の外見に関してかなり手厳しかったが、それでもおやっと思わずにいられない。円らで大きな目をしている。胸は左右のバランスこそ欠いていたが、とても大きい。かといって太っているわけでもなく、股下には綺麗な錐形の空間ができている。足も長い。身長はアマネヒトよりも十センチは高いだろう。胸の下まで伸びた長い髪は軽やかに、そして優しく波打っている。なにより印象的なのは、だらしなく開いた唇だ。ぽってりとしていながらしまりの悪いその唇は、高級娼婦のような印象をもたらした。たいていの男なら、彼女とすれ違う瞬間、凝視するだろう。

「私なんて、犬にでも犯されればいいんだわ」

潮さんは手で顔を覆った。もう片方の手には、ピザーラの袋が下げられている。

「なんだよ、金払わないでバックレてきたのか？」

潮さんはふるふると首を振り、悲しそうに肩をすぼめた。

「お金が足りなかったの。でも、もうピザは作り始めちゃってたから。店員がね、どう見ても純朴な韓国の出稼ぎ青年なんですもの。だから私、カーディガンを売って来たの」

「は」

皇子は睨むような顔で笑った。

「そういや、出がけに着てたよな。売るとはね。破滅してる」

皇子はそう言うと、アマネヒトに耳打ちした。どうだ、破滅派は凄い奴ばっかだろう。そう言われると、代理詩人としては、なんだか対抗したいような気がする。しかし、いざ貧乏自慢をしてみると、まだ二十歳前のアマネヒトより、潮と皇子の方がはるかに上だった。皇子はそこら辺に生えている大葉子（おおばこ）を天ぷらにして食べたことがあり、しかも衣には卵は入れなかったという逸話が出た時点で、アマネヒトは白旗を上げた。

「わかりましたよ。ずいぶん個性的な方々が集まってるみたいで。で、ぼくは何をすればいいんですか？」

「おまえは今までどおり、代理詩人として頑張ってくれればいい」

「へえ、代理詩人なんて、世界に二人もいるものなのね。素敵。ぱるおさんの後釜にしては、顔が良すぎるけれど」

潮さんが口を挟んだ。ふっくらした唇を売女のように開き、アマネヒトを眺めている。抱かれたがっているようなその視線が照れくさくて、アマネヒトは目を外らした。皇子はそうした心の動きをすべて把握しているのか、ニヤニヤと笑いながら、話を続ける。

「ただし、俺たちが少し営業をかけてやるから、もうちょっとふんだくるんだ。今、いくらぐらい取ってるんだ？」

「一回五千円です。大体の人は、ご飯も奢ってくれます」

「そうか。これからは七千円取れ。おまえ、リピーターはいるのか？」

「いや、まだです。だって、始めてから三ヶ月ぐらいしか経ってないから」

「じゃあ、そのうち来るよ。顧客管理とか、そういう面倒なことは俺たちがやってやる。だから、儲けの三割は破滅派に寄付するんだ」

アマネヒトは暗算をしてみた。結果に不満だったからというより、人に使われるのがいやで、下唇をぷうと突き出した。もちろん、皇子はそれさえ見透かして、言葉を重ねる。

「おまえの代理詩人としての収入は、はるかに増えるだろう。おまえみたいな奴に限って、ちゃんと営業しないからな」

「そんなこと、なんでわかるんですか？」

アマネヒトの苛立ちを鼻で笑い、皇子は指さした。

「おまえ、自分の顔を見てみろよ。そんな美少年はな、決まってモジモジするんだ。自分の価値を信じて疑わないし、まあ、だいたいどうにかなるからな。社会に揉まれ、同性の嫉妬にあって、ようやく営業努力をしようと思い始める。ただ、俺の考えじゃあ、そんな努力はしないで済むなら、しない方がいい。処世術に長ける代償として、キラキラした輝きがなくなっちまうからな。なあ、潮」

「そうよ。あなたみたいな人は、黙って創作に励んでればいいの。それこそ、天使みたいにね」

潮さんはそう言うと、しばらく自分の言葉を吟味してから、「天使だって、ははは」と乾いた笑いを響かせた。その自嘲癖は彼女をますます娼婦のように見せた。

「おまえには、今のところ二十一世紀最高の作家であるミシェル・ウエルベックの言葉を授けよう」

皇子はそう呟くと、立ち上がり、目を瞑った。

「――ちょくちょく気づかされるのだが、並外れて美しい人々というのは、たいてい慎ましく、優しく、愛想がよく、思いやりがある。少なくとも男同士の場合、彼らは友達づくりに大変苦労する。相手に劣等感を持たせないよう、持ってもわずかですむよう、常に努力をしなくてはならない――引用、終わり。中村桂子訳、『闘争領域の拡大』、二〇〇四年、ピー七〇」

皇子が暗庸を終えると、潮さんは「ウッフー」と変な声で褒め称えた。そうした一連の、並外れた会話に対して、アマネヒトが潮さんの「ははは」という乾いた笑いを真似したのは、必ずしも呆れたからではなかった。思わず、ほんとうに思わず、潮さんと同じ風に笑ってしまったんだ。

その後も、書物の牢獄で話は続いた。半開きになった窓にはハトが止まっていて、ふるっふふるっふと不穏な声で鳴いていた。

ともかくも破滅派の一員となったアマネヒトは、姉の家で厄介になりながら、代理詩人の仕事をこなしていった。皇子の言うとおり、これまでは中高生の小遣い程度にしかならなかった仕事は飛躍的に増え、普通にフリーターとして働く程度の収入になった。「口を糊する」という表現がぴったりなくらい、かつかつの収入ではあったけれど。

「不思議な人たちだごと。会社をやるほどちゃんとしてるようには思えねえけどな。どうやって生ぎてんだが」

「ほっとんどバイトみでぇだけどな。皇子は収入の大半を破滅派に注ぎ込んでるしな。会社っつってても税金は払わねえし、家賃ぐらいだがらよ。皇子は編集部に住んでるしな。毎日寝袋で寝てんだっけ」

「あいや。大丈夫だってが？」

「大丈夫だ。若者だし、体力ありそうだがらよ」

「んじゃねくて、もっと色んな意味で」

姉の海はいつもそう尋ね、眉根に憂いを帯びた。ピラティスをやりながら、あるいはマッサージで足のむくみをとりながら。ますます美しくなろうとする姉の横で、アマネヒトは破滅派について説明した。それは何度も繰り返され、雛の柔毛が美しく輝き始めるようにして洗練されていったのだが、海の疑問は尽きなかった。

今のところ、君もまたそう思っているだろう。破滅派はアマネヒトを損ないはしないだろうか、と。たしかに、人付き合いという点において、アマネヒトはあまりに不器用だった。でも、幸いというか、破滅派の面々は他人を傷付けることがなかった。ただ、みんな自分の中に苦しみを抱え込み、自壊していくばかりだ。だからこそ、彼らは「破滅派」などと名乗ってみせる。

破滅派の面々について、箇条書き風に羅列していこう。ポエジーのかけらもない文体だし、アマネヒトも気に喰わないだろうけれど、冗長もまた詩の敵だから。

まず、主要メンバーから。

紙上大兄皇子について。彼は小説を書いている。名前からもわかるように、かなりの自負の持ち主だ。世界に向けて食ってかかるような顔つきをしている。恐ろしい行動力と博覧強記を兼ね備えた男で、簒奪者のイメージが似つかわしい。洋の東西を問わず文芸作品を読み込んでいて、詩、文学、哲学、美学、歴史学、どのジャンルにも恐ろしい知識がある。人文科学の権化のような男だ。ただ、韜晦趣味をなくそうとせず、編集者にも平気で噛みつくため、三回の文芸誌掲載を最後に、事実上干されている。そうした努力を十八の歳から八年間続けた結果、破滅派を思いつき、通常のルートとは違う方法で世に出ようとしている。

「あの人は」と、潮さんは評している。「いろんなことを凄い勢いでやりすぎるから、もうなにがなんだかわかんなくなって、躁状態なの。テンション高いでしょ？　常に何かを成し遂げそうな雰囲気があるんだけど、なんでもやり過ぎるの。だからこそ周りに人が集まるんだけどね。一緒にいると、ウッフーって叫びたくなるもの。でも、調子に乗っちゃダメよ。小説に書かれるわ。自分がモデルの小説って、読むのが辛いのよ。しかも、皇子の書いたものだったら、なおさら。あの人、いい意味でも悪い意味でも、悪魔だから」

続いて、ほろほろ落花生。皇子の大学時代の友人で、ＳＥとして働いていた。パソコン関係に明るいが、いかんせん仕事が続かず、職を転々としている。皇子と同じく小説を書いているが、そこまでの野心はない。まかり間違って破滅派が大きな会社になれば、楽して食べていけると夢想している。もっとも尊敬しているのは、小説家ではなく、詩人のシャルル・ボードレール。彼と同じデカダンスを生きることを目標にしており、通勤カバンにアブサンを忍ばせていたりするのはその一例だ。

「でもね」と、潮さんは評する。「デカダンになりきれないのが、ほろほろさんのかわいいとこなの。ボードレールって、阿片をやっていたでしょう？　でも、ほろほろさんにはその勇気がないの。アブサンをネットで買うくせに、ヘロインをやるのは怖いのよ。だからね、たまに石鹸を舐めてるのよ。

阿片は苦いから、たぶんこんな味だってね。かわいいでしょ」

そして、主要メンバーの最後、貯畜。ほろほろと同じく皇子の同級生だが、現在はパリに住んでいる。フリーのウェブデザイナーとして働いていて、パリ大学で哲学を専攻している。破滅派が発足してから一度も帰国していないため、外見を知る方法はスカイプのビデオチャットのみだ。黒セルの眼鏡をかけていて、背が小さく、東南アジアのインテリ留学生といった風貌。破滅派の法人化を提唱したのは彼。ビジネスに興味を持っているのは、貯畜という名前の示すとおり。この名はほろほろが考えた。時折、タガが外れたように「お金がほしい！」という檄文をメールで送りつけてくるので、あれじゃあ家畜の畜だということになった。破滅派がウェブサイトとして運営できており、ＳＥＯ対策をはじめとするアクセス数アップの方法が優れているのは、他でもない、この貯畜のおかげである。なにかを調べて実行するのが早く、破滅派が合同会社になるときも、彼が登記簿をすべて完成させた。

「哲学をやっているからかしら」と、潮さんは評する。「凄く話が難しいの。ほんとうに、この人とメールをやり取りしていると、ちゃんとした仕事をやったような気になるんだもの。人と接するのは好きみたいなんだけど、パリにいるからね。いつも同人と会いたがっているわ。私も映像でしか見たことないの。ときどき、この人はほんとうに存在するのかしらって思う。そうそう、皇子なんかひどいのよ、貯畜が今まで書いた中で最高の作品は、会社の登記簿だって言うんだもの」

以上が主要メンバー、つまり合同会社「破滅派」の社員として名を連ねている面々だ。ただし、破滅派に関わっている人間はもっと多い。いわば、普通の会社のバイトに当たるのが、常連執筆陣だ。

まず、山谷感人。彼は自称ヒッピーだが、すでに三十路を過ぎている。名前のとおり、皇子が東京のスラム「山谷」で拾ってきた。真性アル中で、太宰治に憧れているが、小説はまったく書かない。破滅派には『アル中日記』という随筆を連載している。朝起きたとたんにビールのロング缶を煽り、酒が入っていないときは誰にも会いたくないと、垢臭い畳の部屋で膝を抱えて、彼を襲ってくるという何かをやり過ごす。もともと物書きになりたかったわけではなく、十八で長崎から上京してきたときは、ロックミュージシャンになるつもりだった。十九のときに早々と諦めてから、三十二回も引越し、百以上のバイトを経験した。現在は無職。いつもウェスタンシャツとベルボトムという格好で、それ以外にはTシャツを三枚持っているきりだ。冬将軍は彼の大敵である。

「私が今まで会った中で一番ダメな人よ」と、潮さんは評する。「ぱるおさんよりもね。それでも嫌われないのは、きっと子供みたいだからじゃないかしら。だってね、貸したお金を返してって催促するでしょ? そうするとね、子供みたいにすねちゃうのよ。『やめてよお』ってね。私もあの人と一緒にいると、自分がお母さんになったような気がするの」

そして、エマニュエル・イタ子。彼女はフリーライターとして各雑誌に原稿を提出している。イタ子というのは、皇子がつけた名前だ。連載している絵入りエッセーは『痛女通信』。サインペンで書く「チラシの裏の落書き」的な技法でなかなかの人気を博している。マゾヒズムが眼鏡をかけて歩いているというぐらい、腰が低い。意見があるときは小さく手を上げて、ウジウジしながら話し、すべての会話を「すいません」と切り出す。ただし、出版関係で働くだけあって、そのスジの情報には詳しい。DTPの基礎を皇子に教えたのは、この人。

「フリーで働いている感じは全然しないのよ」と、潮さんは評する。「お母さんが洋裁をやるらしくってね、自家製の服をいつも着てるんだけど、それがなんだかね、縄文人の貫頭衣みたいなの。オシャレなのよ？　でも、わざとそういう格好で自分を辱めているみたい」

サクオ・アングロ。彼は普通のメーカー勤務の会社員だ。アングロサクソンから取った名前からもわかるように、イギリスに憧れていたが、希望の職種にはつけていない。TOEIC九二〇点の英語力も役に立たず、プレゼン資料作成のスペシャリスト（発表は上司）という不遇に甘んじている。大人しい性格だが、もともとイタ子と友人で、おシャレ好きである。誰にも気づいてもらえないらしいが、シャツの襟やネクタイなど、よく見るとセンスのいいものを選んでいる。破滅派では『そんな服着てると雑巾投げるぞ』というダメ人間のためのおシャレ講座を連載している。

「マジメ一辺倒で生きてきたのがたたって、狂ったように服を買い始めたそうよ。収入の八割は服代だって。それに、凄くついてないのよ。普通に出勤しようとしたら目の前で人が電車に飛び込んだり、目をかけていてくれた上司が出張先のアフリカでマラリアにかかって死んだり。普通に生きてきただけなのに、目の前で人が死ぬところを九回も見たことがあるんだって」

　太郎次郎ゴロー。彼は某有名国立大学の大学院生だ。経済史を専攻しているが、破滅派に寄稿するのは山岳論と音楽論である。アカデミズムの現場で揉まれた異常な調査力によって、厖大なデータベースを構築している。特に国歌や校歌をはじめとする唱歌に造詣が深く、ありとあらゆる歌詞を暗記している。どうでもいいことに正統的なアカデミズムの教養を用いるちぐはぐな評論は、ダウンロード数こそ少ないが、ごく一部の好事家（こうずか）に高評価を得ている。さる著名な評論家も、サブカル系オピニオン誌の右翼特集で取り上げていた。

「教授になる人って変わってるのかしら」と、潮さんは評する。「いつも学生服と学帽なのよ。で、すごく大きなザックを背負ってるの。飯盒がぶら下がってて、ガランガラン鳴るのよ。どんな状況でも登山に行けるようにするためらしいんだけど、本当に学校の授業が終わった後にあきる野市に行ったりするんだから。パッと見は八ツ墓村よ。よく警察に捕まらないわ」

　他にも同人は多くいるけれど、その一々を紹介することはしない。最後に一人、君にも大きな関わりを持つ潮さんについて述べておくとしよう。ただ、彼女に関しては、これまでのような羅列はしない。筆まめな彼女がアマネヒトに送ってよこした長い手紙——唐突な自分語りから始まり、それゆえに皇子が「呪いの巻物」と呼んでいる手紙——を三通紹介しよう。

＊

こんにちは、潮です。

突然のお手紙に驚いたかしら。昨日に会ったばかりだものね。といっても、この手紙が届く頃には三日前ぐらいになってるかしら？　私、好きなの。手紙。先に断っておくけど、くれぐれもメールで返事しないでね。私、有名な小説家になって、書簡集を出したいから。あなたも気を引き締めて書いてね。やあよ、へなへなした文章が私の全集に入るのは。

なんてね。嘘よ。好きなように書いてください。あなたは詩人だから、きっと短い手紙になるんでしょうね。でもいいわ。別に怒ったりしないから。短くても、手紙は手紙よ。

そういえば、いつだったかしら、私、本を読んでいたの。凄く薄い本。けど、其処には人生の全てが書いてあった。

人が分厚い本なんて読むのは、欲深さからなんだと思う。自分はこれだけ厚い本を読むのだから、それなりの「何か」が得られるんではないのかという、ストイックな皮をかぶった物欲しげな憂い顔。鬱陶しいわ。でもね、私は気づいたのよ。憂い顔で分厚い本を読むのなんて、無意味なのよ。

その本はとっても厳粛なリアリズムで書かれているの。時には人生の退引ならない部分を生々しく描き出したり、時には薄ら笑いを浮かべる浅薄で貪欲な自分に気づかせてくれたり、時にはこの世でそれだけは裏切らないなんて心の支えになってくれたり。

たぶん、文体の所為だと思うの。本当に、その本は嘘偽りのない文体で書かれているから。

その本は誰でも一冊は持っている。もしかしたら、毎日読む人もいるかもしれない。あなたは私がこれまでに言った事を信じない？　だったら想像力が無いわ。

じゃあ、答えね。私のお母さんは真っ当な主婦なのに、「通帳なんて見るのやめなさい」って言ったわ。でも、それは全てを示している本なのだから、何度見たっていいと思うの。

皇子はね、その事についてよく解ってる。この間、私が事務所で読んでいたら、後ろから「ゴクローだね」って言うの。残高は五九六〇円しかなかったわ。何度見ても変わらないの。でも、ゴクローだねって。そうやって、現実は新しい意味を帯びてゆくんだね。

私は通帳をポンと机の上に置いたわ。そうしたら、風が吹いて、通帳のページが捲れる。「オアズケイレ」の文字があるのは最初の方だけで、あとは引き出しを示す「ＡＴＭ」の行進が続くの。憎ったらしいくらい規則正しくね。

私、十八の時分からずっと働いてたの。美大に進むお金が足りなくってね。でも、初めて入ったお給金で髪を緑に染めたわ。そして、煙草を吸ったの。中高と女子校だったから、お下げ髪じゃないといけなくて、私はそういう全てを煙で吹き飛ばしたの。ヘアカラーで傷んだ自分の髪を何度も触ったわ。ぱさぱさして、それからかもしれない、私が「ははは」なんて笑うようになったのは。

天地遍人さん、破滅派に入ってくれてありがとう。これから一緒にがんばりましょうね。今、破滅派はどんどん読者を増やしているの。本当よ。ねえ、一緒に映画を撮りましょう。破滅派で脚本を募集するの。私が監督をするから、あなたは主演よ。脚本が女の子を主演にしてたって、あなたなら大丈夫。女形（おやま）でも十分通用するわ。その時は私が化粧をしてあげるわね。もちろん、私は出ません。だって、なんだか画面に締まりがなくなっちゃうんだもの。私の顔を見てればわかるでしょう？　昔ね、まだ大学生だったとき、ヒステリックグラマーのコートを着て歩いていたの。ピンクのムートンでね、ふうわりしてかわいいやつだったのよ。私はホットパンツを穿いてたから、遠くから見ると下に何も穿いてないように見えるのよ。そうしたらね、すれ違ったオジサンが、「この売女！」って叫んだの。私、びっくりしたわ。売女って。あんまり言われないわよね。でも、おじさんにも一理あるわ。だから、出演は無理よ。わかった？

それじゃあね、アマネヒトさん。ちゃお。

*

アマネヒトさん、この間は突然泣き出したりして御免なさい。驚かせてしまった。私、パニック障害なの。人が多い所は苦手なのよ。特に、新宿とか、ああいうところは。別に隠してた訳じゃないのはわかってね。自己紹介で、「深川潮です。二十四歳です。パニック障害です」とはあんまり言わないでしょう?

いつからこんな風になったのかはよくわからないの。皇子は家庭環境が問題だと言うわ。でも、私はよくわからない。ちょっと前まで逞しかったもの。大学を卒業して直ぐなんてね、去年の春の事だけど、キャバクラで働いたんだから。そうしたら、なあに、あれ? ああいうお店に来るお客さんって、なんて見苦しい生き物なのかしら。私、腹を立てて辞めちゃったの。でもね、家に帰って、それこそ売女みたいなカクテルドレスを脱いだら、不安に押し潰されそうになったの。急によ。それから毎晩枕に顔を塡めては妙な匂いを染み込ませて、大学時代には見下していた男友達と変な関係になるなんて失敗もやらかし、ああ、人間ってこうやって終わってゆくんだ、自分は豚みたいに尻を振って歩く中年になるんだ、としたり顔で悟ろうとしても、ふと自分の身体を抱けば、そこにはやっぱり「私」という名前のどうしようもない空虚があるわけです。

そのままどうしようもなく時が過ぎて、夜中、途方に暮れながら近所を散歩していたの。大学も卒業しちゃって、会社にも入ってないから年度の切り替わりとも無縁、今年はまだ半分以上あるのにどうしようかしら、なんて冷静に現実を見つめていたら視界が急に開けて、夜の公園、満開の桜が街灯に照らされていました。たったそれだけで、涙脆くなっていた私は目が潤んでしまったんですが、一陣の風が吹き、光景は桜の花びらに埋め尽くされてしまいました。ぞっとするその美しさに、私は思わずしゃがみ込み、自分の肩を抱きながら泣いてしまったの。

思いっきり泣いて、ペディキュアも桜色だったら良かったのに、なんて自分の爪先に落とした視線が冷静さを取り戻した頃、私は顔を上げて、ある思いつきにポカンと頭を打たれました。ああ、小説が書きたい。

私のことを好きだった人に、五味川さんという人がいたの。名前のとおりゴミみたいな人で、いっつも追いつめられてたわ。死ぬ死ぬって五月蠅（うるさ）いの。私は好きでもなんでもなかったのに、「いやあ、君みたいに素敵な女の子なら、いっそ付き合わない方がいいな！」なんて、私を一方的に振ったりするの。本当に、十把一絡げみたいに思っていた人だったけれど、ある時出奔して、アパートに残した旧制一高的ラブロマンスの題名が、『君と桜吹雪』。その小説は鳥肌が立つぐらいつまらなかったけれど、あんなんでも小説を書くって事は、素敵だなと、その時、初めて思い返したのよ。

そのまま、私は下北沢の安いカフェバーに行ったの。途中、A4のレポートパッドとシャーペンを買って。お財布には八百円入っていたから、一杯だけ飲めたわ。皇子と出遇ったのは、そこだった。はじめは凄く厭味ったらしい人だと思ったんです。だって、カウンターで本を読んでいるんだもの、しかもポロシャツの襟を立てて。いつもだったら気にも留めなかったわね。でも、その瞬間の私は、どうしようもないくらい小説が書きたかったの！　自分から話しかけちゃった。バンドのグルーピーみたいにほっぺたを真っ赤にしてね。

はじめはうんうんと頷いていた皇子はね、行ったり来たりする私の話を一とおり聞き終えると、ほとんどコメントもしないで、手に持っている本を渡してくれたの。カバーを外した布張りの上製本で、元は白かったんだろうけれど、表紙が汚れて茶色くなってしまっていた。その頃は呼び名を知らなかったんだけど、あの栞代わりの紐みたいなスピンってやつ、ちぢれてよれよれになっているの。『百年の孤独』って書いてあったわ。ガブリエル・ガルシア＝マルケス。聞いたこともない作家だった。皇子は取り敢えずそれを読んで、一篇の小説を書けと言ったわ。で、ここに連絡しろと名刺を渡したの。破滅派というロゴが入った、シンプルな名刺だったけど、びっくりしたわ。名前は紙上大兄皇子で、裏には「滅びて始まる生がある」と書いてあるんだもの。

そのバーで、私は皇子に全てを話してた。今思い出しても不思議なんだけど、本当に全部話してたの。なんでかしら？　私ね、生理が来たのがちょっと遅くて、高校生の時だったんだけれど、そんなことまで話してたの。信じられる？　たぶん、カフェバーの人はみんな呆れてたんじゃないかしら。なんでかしらね？　でも、アマネヒトさん、あなたも解ると思うけれど、皇子にはそうさせずにいない雰囲気があるわね。心の居直り強盗というのかしら。

ともかくね、私は帰って直ぐに『百年の孤独』を読んで、打ちのめされました。だって、蟹が物凄く沢山出てきたり、登場人物の名前がほとんど同じだったりするんだもの。あんなもの読んだ後じゃ、どうやって小説を書いたらいいか、わからない。私は途方に暮れて、すぐに皇子に電話しました。どうしたらいいんですかってね。皇子は電話越しに、笑いながら言ったわ。ようこそ。なあに、ようこそって。私は馬鹿にされたと思って、プリプリ怒ったわ。ほんとに、処女みたいな怒り方だったわよ。でも、少し後になってわかったの。途方に暮れるぐらいの作品に出会ってはじめて、物書きとしての決意が固まるって。どんな作品に出会ってもへこたれないなら、そいつは天才だから、そのまま進めばいい。たとえへこたれたとしても、いかに心を折らないで進んで行けるかという戦い方があるって。

アマネヒトさんはどちらかしらね。天才だといいわね。そうだ、今度『百年の孤独』を読んでみて。

そうして、一緒に家系図を作りましょう。あれって、同じような名前の人ばかり出てくるのよ。アルカディオ・ブエンディーア、ホセ・アルカディオ、アウレリャーノ・ブエンディーア、アウレリャーノ・セグンド。もっとたくさんいた気がするわ。しかも、全員が同じ一族ですもの。こんがらがっちゃうわ。私、ずっと家系図作りたかったんだけれど、誰も手伝ってくれないから忘れてたの。今度、一緒にやりましょうね。

ちゃお。潮でした。

＊

こんにちは。教えてくれてありがとう。なんだか凄くショックだわ。私ね、あんまりショックだったから、ほろほろさんにアブサンを貰って飲んだの。あれ、苦いのね。そして頭が痛くなったわ。すぐに意識が朦朧として、前後不覚とはこのことよ。でも、大丈夫。ほろほろさんと寝たりはしてないから。ほろほろさんはゲイなのよ。しかも、本当はノンケなのに、デカダンであるために、無理してゲイを貫き通しているの。かわいいでしょう?

それにしても、『百年の孤独』には家系図が必要だって、みんなが思ってたのね。出版社のファンサービスが心憎いわ。でも、その新装版っていくらでしたっけ？　三千円ぐらい？　私、そんな高い本は買えないわ。ブックオフの百円コーナーをうろつくしかないわね。それに、せっかく皇子に貰った本ですもの。家系図が無くたって、新しいのに買い換えたりはしないわ。

でも、どうなのかしらね。アマネヒトさんは小説に家系図がついているべきだと思う？　先を越されて口惜しいから言うんじゃないの。なんと言うのかしら、小説の魅力としてね、『百年の孤独』は誰が誰だかわからないようなところが魅力だと思うの。家族ってそういうものだと思わない？　結局のところ、がっかりするぐらい似ているもの。ガルシア＝マルケスさんは他の小説にこう書いていたわ。「人は老いを感じ始めるとき、自分が父親に似ていることに気づく」ってね。私はまだ二十四だけど、そう感じるようになっているの。これまではカメラマンであるパパと違って、写真は嫌いなんだと思ってたのだけれど、皇子に言われたの。「潮は写るのが嫌いなだけで、撮るときは露出だ構図だとギャー ギャー騒ぐじゃねえか」ってね。皇子は鋭いわね。

アマネヒトさんはお父さんに似ているのかしら。やっぱり美男子だったの？　お姉さんはファッションモデルらしいわね。私、モデルには興味ないけれど、きっと綺麗なんだと思うわ。今度写真を見せてね。

そうだ、私、そろそろアマネヒトさんの詩が読みたいわ。まだ自分の詩を一度も書いたことがないって本当なの？　代理詩人も素敵だけれど、本当の言葉が聞きたいわ。きっといいと思うのよ。だって、アマネヒトさんって、石川啄木とか、中原中也みたいなんだもの。皇子から、聞いたんですけど、ファッションモデルの撮影中に叫びながら逃げ出したんですってね。それって凄くいいと思うわ。啄木も新聞社の給料を借り逃げしたし、中也に至っては、新聞社を落ちてるんだもの。破天荒なのは詩人の必要条件よね。

それとも、皇子が言ってたとおり、完璧主義者なのかしら。自分の生涯を賭けて、たった一片の完璧な詩を残すというのも、素敵ね。

皇子にもそういうこだわりがあるのよ。去年の暮れにね、皇子が小さな出版社に持ち込んで、書き下ろし単行本の話が出たのよ。ただ、向こうの編集者は直すように要求したの。時事ネタの部分はいらないってね。そうしたら、皇子はそのまま席を立って、編集者を置き去りにしたのよ。格好いいけれど、なんかねえ。ちょっと我慢して変えたらいいと思うんだけど、皇子にはできないのね。皇子からすると、「時事ネタ」の一言で切って捨てられた部分も大事なところらしいの。ほら、猫はヒゲを切られると、狭いところを通り抜けられなくなるっていうでしょう。それと同じだそうよ。

でも、どうなのかしら。そこまで自分の意志を貫徹できることって、どんなに凄い才能の持ち主でもごくごく希にしかないんじゃないかしら。だったら、多少は妥協をすべきだと思うの。

ほら、皇子って図々しいから人の懐に飛びこむのが上手いけど、警戒心の強い人には嫌われるの。書くネタがないときは周りの人をネタにするしね。皆どう書かれるか、ビクビクしているわ。アマネヒトさん、自分のことが書かれていても、驚いちゃ駄目よ。私ね、大杉栄という人の評伝を読んだことがあります。この人は政治運動家（しかもアナーキスト！）で、おまけに文才まであったらしく、色々な文章を書いているの。でも、その評伝では「行文あまりに人を食っていてよくない」とかなんとか、評価されてなかったわ。皇子にもね、それと似たところがあるの。大杉さんもそうだと思うんだけど、あまりに行動力がある人間って、人を引かせてしまうんじゃない？　文体には人柄が滲むもの。皇子の文体にはそういうところがあるから、きっと編集者もケチをつけるんじゃないかしら。なんて、批判してるんじゃないのよ。そんな偉そうな事、できないわ。私は皇子にいっつも怒られてるんだから。やれ副詞が多い、主語が少なすぎる、プロットの順番が素直すぎて先が見えている、脇役が似通っていて区別がつかない……。私は弟子みたいなものですからね。生意気なこと言ったら、お仕置きされちゃうわ。皇子はサディストだから、お仕置きが怖いのよ。

だからね、アマネヒトさん、このことは内緒よ。二人だけの秘密だからね。この手紙も食べちゃってください。

そうだわ、この間作ったフライヤー、一緒に配りに行きましょう。四百枚ぐらいあるから、下北沢のお店を制覇よ。下北沢はね、何度か行ってるんだけど、凄く優しい街よ。何か新しい事をやろうとする人がいて、たとえその人が無力な存在だとしても、決して馬鹿にしないの。面白がってくれるのよ。銀座なんか行くとね、そもそもフライヤーの置き場所がないのよ。一回、皇子がリクルートの名刺を偽造してね、置きに行ったんだけど、それでもダメだったわ。敷居が高いわよね。破滅派には下北とか、高円寺とか、吉祥寺とかがお似合いなの。私達を受け入れてくれる町で、思いっきり暴れちゃいましょう。もし私が売女って言われたら、一緒に泣いて頂戴。

それじゃあ、来週に会いましょう。といっても、この手紙が届くより先に会ってるかしら。それなら素敵ね。私はあなたと秘密を共有してるのに、あなたはそれを知らないんだもの。これ、いいわね。小説に使おうかしら。あなたも早く書いてね。ちゃお。潮でした。

＊

アマネヒトは書いた。何を？　詩ではなく、返事を。度重なる文通は、高輪台のマンションのポストを占拠した。不審に思った代理詩人の姉は、得体のしれない女が弟を誘惑していると思ったかもしれない。でも、この時点でたしかに、潮さんは皇子の恋人だった。いつも破滅派編集部に入り浸っていた。そんな彼女がアマネヒトにこうした手紙を送る理由はただ、そういう風にしか男と接することができなかったからだった。

皇子とアマネヒトが一緒にいるとき、誰のものでもないという顔をした。が、皇子はうすうす感づいているようなところがあり、時々「媚態を振りまくのも若いうちならいいけどな、そのままオバサンになると悲惨だぜ」と皮肉を言った。潮さんも潮さんで、そんな将来に本気で怯えたらしく、親指の付け根を噛んで震えた。新大久保のどん詰まりにある破滅派編集部で、静かな三角が回っていた。

皇子の皮肉は少しずつ尖っていった。これからなにかをやるんだという雰囲気と、今にもすべてが台無しになる悲壮感が、いつも側にあった。だから、編集部のドアの外から「アパパパーイ！」という皇子の叫び声が聞こえてきたとき、ついに殺戮が始まるのだと、代理詩人は広辞苑第四版を手に取った。

別に皇子はアマネヒトを滅多刺しにして殺そうと思っていたわけではなかった。昼飯を食べに行く途中、新大久保百人町の雑居ビルの五階、破滅派編集部階下の踊り場では、鳩の卵が割れていた。床の上で、どろりと。巣ごと落ちていた。枯れ枝で作った巣は、ついに窓辺のコンクリートに根付かなかった。

「ああ、落ちちゃったんだ。風が強かったですからね」

アマネヒトが駆け下りて声をかけると、皇子は膝をつき、割れた卵を手に取り中を覗いていた。かすかに、雛が形を作りつつあった。雛の大きすぎる瞳が、絶望で黒に染まっていた。不意に叫んだことを気の迷いだと思いなおすことはできないようで、皇子はなかなか起き上がらなかった。

「今夜、ちょっと話があるんだが」

皇子は嬰児の骸(むくろ)を眺めながら、呟いた。絶望で言葉を失っていたアマネヒトは、明るさを取り戻さなくてはと、義務的な笑顔を浮かべて、「いいですよ」と答えた。

「いい話ですか、悪い話ですか」

「なに、下世話な話だ」

皇子は卵の殻を投げ捨てると、立ち上がった。そして、あたりに散らばっていた羽毛を眺めると、「お母さんはこうして発狂してしまいましたとさ」と呟いた。その言葉は狭い踊り場で反響して、白塗り壁のくすみを目立たせた。

その午後、代理詩人の仕事として埼玉県の越谷へ向かったアマネヒトは、東武伊勢崎線に揺られながら考え込んでいた。皇子の発した不吉な言葉について。破滅派はよくないんだろうか。もしかしたら、もう破滅しそうなんだろうか。そんな悩みを抱えたまま、代理詩人は誰かのために詩を紡いだ。『エボラ出血熱と恋の病はお医者様でも……』という詩を、医師と不倫中の看護師のために。

不倫カップルの欲望を焚きつけ終えた後、上野動物園でぷらぷらと時間を潰した。檻の中で黄昏ている哲学者たちを、疲れ切った二足歩行たちが眺めている。アマネヒトもまた、そうした二足歩行の一人として、スマトラトラの檻の前で佇んだ。スマトラトラ。心地いい語感だ。但し書きを読むと、トラの群れはプライドというらしい。それもまた、いい語感だ。でも、うまく言葉を練ることは難しい。破滅派はどうなるんだろう？——その危惧が頭から離れなかった。いや、こう言ってもいいかもしれない。もしも破滅派がなくなってしまったら、潮さんと自分はどうなるんだろう？

あまりにも悩んでいたので、アマネヒトには冷静な判断ができなかった。飛んでくるトラのおしっこをよけることも、姉の海が電話で「私も破滅会さ行ってもいいが？」と尋ねてきたのを断ることもしないまま、恩賜公園の中をぷらぷら歩いていた。

「臭いよ！」

子供たちが口々にそう言いながら遠ざかった。それでも、代理詩人が穏やかな微笑みを浮かべれば、子供たちの嘲りは消えていった。一緒に遊んでと、目で誘う。アマネヒトは彼らの輪に加わった。獣の汚物を身にまとって、天使たちの輪へ。それも別段不可解なことではない。幼ければ幼いほど、アマネヒトを好きになる。彼らはまだ、妬み嫉みのやり方を知らないのだ。母親たちが子供を奪うようにして去って行かないのは自明のこと。彼女たちは代理詩人のもっともよい顧客だから。

歳若い主婦にTシャツを貰い、アマネヒトは待ち合わせに向かった。故郷の歌人、啄木の歌碑がある浅草口こと「ふるさとの訛なつかし停車場」である。皇子たちは永井荷風特集のための取材を終わらせた後、上野に向かって来ることになっていた。

「代理詩人くん」

そう呼びかけられて振り向くと、輝くほど美しい織り糸のスーツをまとったヘチャムクレが、キャスターつきのカバンを引きずって立っていた。

「サクオさんじゃないですか。どうしたんですか、その荷物」

「あれ、聞いてないかい？」

サクオはそう言うと、少し考え込んだ。唇を少し左によれさせて、腐った果実のように不貞腐れていた。

「僕はね、今度、インドに転勤になってしまったんだ。今日はそのお別れ会なんだよ」

「左遷ですか？」

「いや、栄転だよ。一応ね」

その言い振りには、いかにも不名誉だという響きがあった。破滅派としては左遷だということなのだろう。

「僕は、メーカーだから。インドは絶対に来るからね。しかも、携帯とか、プラズマテレビとか、そういうものがバカ売れするんだ。ほんとだよ。そういう時代になったんだ」

「じゃあ、サクオさんのファッション講座も、インドでできますね」

「うん、そうなんだけど……」

言葉に持たせた含みを穿り返すより先に、海がやってきた。上野駅浅草口に集う人々すべてを振り返らせて。きっと大事な言葉を紡いだだろう会話は、切り捨てられて憤死した。

「アーだん、遠くから見っと、子供みでえだじゃ！」

海はアマネヒトが通りすがりの主婦から貰ったTシャツを指して言った。

「貰ったのさ。さっきスマトラトラに小便かけられちゃったのさ」

海はけらけらと腹を抱えた。ピンヒールが石畳を突っついて、音が鳴る。バルーンスカートの揺れ方からなにから、完璧に美しくて、もう暗い話はできそうになかった。

皇子たちが合流して、メキシコ料理屋ロス・ニーニョスに入ってからも、明るさの鎖が場を縛った。皇子が話そうとしていただろう深刻な話はできそうになかった。それがもどかしいのか、皇子はいつにもまして険しい顔を浮かべていた。潮さんが「海さん、かわいいわあ。うっとりしちゃう」と繰り返すたび、皇子の顔はぴくっと険しくなった。うわっつらの会話だけで過ぎていく時間の手綱を握ろうと、狙っている顔だ。そして「かわいい」という言葉が六十回目になった瞬間、皇子の顔は、般若の形相を帯びた。

「俺は小説家だ」

皇子はそう言った。

「女のかわいさというものについては長らく考えてきた。特に、女が言うかわいいという言葉の意味についてはな。まあ、経験則として言えるんだが、それは一つの病気だ」

不安が場を支配した。誰も皇子が言おうとしていることを予想できない。特に潮さんと海の顔は、不安げだった。

「なぜ、と誰も聞かないから自分で言うが、自分がかわいいのか、かわいくないのか、思春期の間を通してずっとそればっかり考えてきた少女っていうのは、大人になると、そういう自意識の病を克服したような気分になってな。でも、それは治ってないんだ。あれがかわいい、これがかわいい、評論家ぶったような意見ばかり言う。でも、ほんとうに克服した人間は、なにも言わない」

破滅派のいるテーブルだけではない、ロス・ニーニョスのすべてが水を打ったようになった。

「それって、私のこと？」

潮さんが尋ねた。しかし、皇子は完璧な黙殺で応え、話を続けた。酒を出す店にしては冷たすぎる静けさの中に、皇子の声だけが響いた。

「装いや見かけに異常な興味を示す女には、ガンバレと言ってやりたい。そのいかんともしがたい病を克服すべく、ガンバレと。そうだな、俺が一番ガンバレって思う瞬間は、そういう女が一生懸命化粧をしているときだな。ほら、一時間も化粧する女っているだろ？　目張りギンギンみたいな化粧に。なんだってここまで病的に化粧をすんだって思うよ。ほら、女って結局は水彩絵の具みたいな匂いを出すだろ。愛液っつーのか。あれ、水彩絵の具みたいな匂いだろ」

皇子の頭に何かがぶつかった。お絞りだった。大声で話す下ネタに怒った隣のＯＬらしき女が、投げつけたのだ。しかし、皇子はひるまなかった。そのお絞りを掴んで投げ返すと、「今大事な話をしてんだからスッこんでろ！」と叫んだ。

「でな、装うことの結果として、その水彩絵の具みたいな液を大量に出すことになるわけだ。それって悲しいだろ。どんなに装ったって、最終的には動物みたいな匂いを出して、むき出しの自分に直面しなくちゃならない。だからこそ、俺はガンバレって思うんだ。スゲーガンバレって。最後は水彩絵の具みたいな匂いになるけどガンバレって」

皇子はクエルボで充たされたショットグラスを煽った。深くついた息は火のようにむっと匂う。目は尖り、悪魔のようだった。気不味い思いに首根っこをちくちくと刺されながら、言葉を継げずにいた。

「アーだんは、破滅派でどんな感じだっでが？　素敵な詩は書けそうなのかよ？」

海が皇子に尋ねた。一人ニコニコと笑顔を絶やさなかった彼女が質問すると、いかにも毒気がなかった。皇子は反省する代わりに自嘲を浮かべ、チェイサーの水を飲み干した。再び深くついた息にはかすかな甘みが残っていた。

「多分ね。彼は才能がある。お姉さん、天は二物を与えたよ」

「そう、よかったです」

海は皇子に向けてにっこりと頬笑むと、その笑顔を保ったまま、全員の顔を見回した。店内が徐々に賑わいを取り戻し、露悪的な言葉が夢みたいに去って行く。百円ライターがカチッと鳴り、頼りない青の炎がマルボロ・ライトの先端にまとわりついて、赤くなる。忙しげに息を吸い込んで、煙草から唇を離す瞬間、大きな炎が上がる。吐き出された煙は白くなって、煙草から立ち上がる青い煙をかき消した。

「アマネヒト。おまえだけには言っておくよ」

皇子が言葉を発すると、肺の中に残っていた煙が蹴立てられたように出て行った。

「世界はおまえ次第だ。どうにだって変えられる。いい言葉だろ？　いいか、俺が今言った『おまえ』

という言葉は、純粋におまえだけをさす訳じゃないんだよ、アマネヒト。わかるだろう？　それが詩だよ」

皇子はにっこりと笑った。愛想笑いなどできない男が無理に笑ったので、場の雰囲気は和んだ。和まなければいけないような雰囲気に包まれた。活発な会話が首根っこを捕まれて戻ってくる。言葉たちが手を取り合って、ふざけ合い、じゃれ合う。歓喜と安堵が絡み合って、香料の匂いで満ちたロス・ニーニョスはますます明るくなった。

破滅会はお開きになった。サクオの転勤については、軽く触れられた程度だった。インドで無事に過ごせますように、そして、ニューデリーからでも破滅派に参加できますように。幾つかの祈りが上げられた。そのたびにサクオは苦しげに唇をゆがめたが、皇子はそれを押しとめるように、サクオの背中を押した。掲示板に映った成田空港行きの発車時刻を眺めながら、サクオは何度も破滅派の方を振り返った。

「いつまでも、破滅し続けていてくださいね！」

京成上野駅の改札の向こう側で叫び声が上がった。その声の悲痛さに、誰もが振り返った。

「ああ、いつまでも、破滅し続けてやるぜ！　決して滅びたりはしないけどな！　だってほんとに破滅したら終わっちまうし！」

皇子が叫び返したのを機に、感動の別れは滑稽味を帯びた。その後にサクオがどうなるかなんて、誰にもわかりはしなかった。

高輪台に向かうタクシーで、アマネヒトは姉と二人になった。破滅派に参加してから、アマネヒトは夜遅く帰宅することが多かった。なにという仕事があったわけでもないが、新大久保にある事務所に入り浸っていた。寂しいのでもない。毎日仕事をしているメンバーは翌日に仕事を控えて早めに帰ったし、本気で破滅派を大きくしようという人間は少数だったから、事務所は冷え切った牢獄だった。でも、そこには潮さんがいた。たったそれだけで、代理詩人には充分だった。

「ねぇ、なしてアーだんは詩ぃ書かねのさ。あの紙上大兄皇子という鷹みてえな目ぇした人も言ってらっけじゃ。そろそろ本出すべや。お金だったら私が出してあげるじゃ」

海はいかにも優しげに——雑誌に出るときの笑顔とはまた違った、心の底から警戒を解いた優しさで——話しかけた。アマネヒトはこれまで何度も突きつけられてきた「早く詩を書けよ」という言葉を思い出し、挑むような口調になった。

「あのな、どうせ言葉なんて借り物だべや。『りんご』だって『犬』だって、ぼくが考えた言葉じゃねがべ？　そったな風に人類が蓄えてきた言葉っこ使って、ぼくらは話してるってわげよ。その言葉を適当にアレンジして『これがぼくの詩でござい』なんつったって、そんなのはただのパクリなわげよ。

ぼくは本当に新しい言葉を考えねば、それは詩じゃねえと思うわげよ」

「したっけば、そんなの意味がピーマンになっちゃうべや」

姉の使った古臭い冗談を、アマネヒトは鼻で笑った。姉のぬかりある言葉遣いを微笑ましく思いながら。姉はその言葉だけ、妙に気に入っているのだ。

「もちろん、メチャクチャな造語はわがね。そりゃ読んだ人に意味が伝わらねえと。んだけど、そういう制約の元で新しい言葉っこ考え出すっつうのは、本当に大変なんだ。んだがら、皇子はぼくを急かさねえんだべ。産みの苦しみを知ってっからよ」

海は自分がアマネヒトを傷付けてしまったのだと勘違いして、悲しそうな顔をした。誰もいがみ合おうなどと思ってなかった。アマネヒトが破滅派にかまけているあいだ、海は海で誰かを幸せにするべくがんばっていた。ついこの間、彼女が専属となっている女性誌の水着特集が業界人の目に止まり、仕事の幅が広がりそうだということを、アマネヒトに伝えたかった。だから、もしもアマネヒトが本を出したいのなら、その費用ぐらいは私が出してあげるよと、たとえ世界中の誰一人としてその詩を理解しなかったとしても、私だけはそれが存在する価値があると思うから、できることならなんでもするよ、ということを伝えたかった。

君にも言っておくよ。瑣細なことで愛する人とすれ違ったりするかもしれない。それを避けるための呪文はただ一つ。想像力だよ。

ところで、アマネヒトにも嫌いな言葉はあった。

特に、時代。でも、サクオが去ったことによって破滅派が陥った蟻地獄について理解するには、この言葉以外に選びようがなかった。

本そのものが売れない時代、しかも、多くの言葉がネットを無料で飛び交っている。少人数でやっている破滅派が儲けを出すのは、まだ夢物語に近かった。

定期サイト閲覧者は三千人ほど。百ページの季刊誌を刷り、ネットや書店での委託販売をしてはいるが、購入するほど熱心な読者はサイト閲覧者のうち二割以下だ。定価五百円で原価三百円、五百部売っても、売り上げは月で二十五万ほどにしかならない。しかも、その売り上げからサーバーレンタルや光ファイバーなどの通信・広告費、家賃などを出しているから、経常利益はないに等しかった。皇子が「アパパパーイ!」と叫ぶのも、狂気の内に入らない日常があった。

何よりの問題は、何で儲けを出すかがきまっていないことにある。今のところの収入は季刊誌『破滅派』の売り上げと、わずかなアフィリエイト広告収入だけである。雑誌の広告収入は焼け石に水程度だったし、アフィリエイトは関連書籍のものに限ったため、雀の涙だ。雑誌広告で売り上げを出すなら、フリーペーパーにして広告を取るのが手っ取り早いのだが、それでは内容面に制限がかかってしまうし、何より最低でも一万部を超えるための規模拡大が必要となる。アフィリエイトで稼ぐなら、消費者金融やクレジットカードなどのコンバージョン単価が高いものをメインに据えなければならない。消費者金融のバナー広告が並ぶ『破滅派』というサイトとはいったいなんだろう！　皇子はいつも、「ほんとに破滅したってつまらねえだろ」と吐き捨てた。ヤフーのような正面玄関（ポータル）サイトを作れたとしても、皇子はやらないだろう。すべての人に開かれた門など、全然破滅していないからだ。

破滅派が志すビジネスモデルは、各コンテンツを課金制にすることだった。一冊千円の本が出せなくても、一ダウンロードで三十円入れば、人は創作を続けることができるからだ。でも、それだって楽ではない。パソコンでなにかを買わせるとき、必要になるのがクレジットカード認証だ。携帯電話なら電話料金として一括請求できるが、クレジットカード番号入力フォームがパソコンのディスプレイ上に現れた瞬間、人はそのページを閉じてしまう。人はネット上のデジタルデータに――つまり、情報それ自体に――対して金を払うことに慣れていないのだ。

ありうるとしたら、会費制である。原稿を二つの階層にわけ、人気のあるものは会員専用にし、それ以外のものは誰でも無料で読める。ヤフー、ミクシィ、グーグル……すでに多くの人気サイトがそうした道を歩みつつあった。あながち見当外れの意見ではないだろう。ウェブサイトとしての破滅派はさらに発展させ、全コンテンツの中でもっとも人気のあるものを出版化すればいい。採算は見込める。

が、そのための問題もまた山積みだった。パソコンの画面上で最適に「本」を——つまり、まとまった縦書きの文章を——読ませるためのリーダーも決定してない。ＰＤＦでは味気ないし、フラッシュを導入して本をめくるような雰囲気を出したとしても、本好きでなおかつフラッシュをストレスなく読めるＰＣ環境を持つ人間はかなり少なかった。かといって、いわゆる「ケータイ小説」を作るためには、文章をスカスカにせねばならない。それなりの分量を一画面で表示できる大画面携帯電話は、ウィルコムなどのごく一部の機種に限られていた。すべてのハードルをクリアーするリーダーはそれこそ出版界が待望しているものであり、破滅派の面々だけで作り出すには並大抵の努力では済まない。仮に完成したとしたら、その売り上げだけで一財産を築けるだろう。

なにより、一番の問題点は、破滅派の作業全てが皇子と貯畜の二人にかかっていたことである。彼らは破滅派で生計を立てていない。それぞれに日々の糧を得る仕事をし、それぞれに己の志す道——皇子は小説、貯畜は哲学——を邁進し、さらに破滅派運営のために働いている。発足当初から二人の作業量は臨界点に向けて漸増していた。

もともと「破滅派」は真っ当な人生を諦めた人間たちの方舟——再生の場——として出発した。そのコンセプトに共鳴して集うのは、当然、ダメ人間である。

たとえば、山谷感人。彼は完全なアル中であり、語彙だけがまともで内容が支離滅裂という『アル中日記』は人気を博しているが、サイト構築のためのコーディング、フライヤーを置いてもらうための書店回り、季刊誌のコストダウンと売り上げアップのための調査……そんなものはまったくやる気がなかった。中心メンバーであるほろほろもアマネヒトと出遇った日に仕事を辞めたぐらいだから、そんな傾向をたっぷりと持っていて、面白いコンテンツを作るためには身体を張るが、そうした七面倒臭い「お仕事」的なことは毛ぎらいしていた。

そういうことができるとしたら、破滅派には数少ない会社勤め経験のある人間しかいない。サイトの部品を作るためにＰｈｏｔｏｓｈｏｐを勉強し、「恐れ入りますが」と臆せず飛び込み営業をし、さらに新たな事業のための資料をネットでコチコチ検索してまとめ……そうした地道な作業をできるのは。

そこに、サクオのインド転勤である。これはかなりの痛手となった。忙しい会社員生活の最中に暇を見つけては、資料収集やＣＰＶ分析につとめていたサクオが日本を離れたことで、破滅派の経営能力が落ちるのは必至だった。とはいえ、ただでさえ儲からない文学だから、損益分岐点の見極めは絶対にかかせない。となると、当然誰かがやらねばならない。パリにいる貯畜に任せるのは無理があるから、結局皇子にお鉢が回ってくる。最近、エマニュエル・イタ子がアングラ雑誌に連載を二つ持ったことでも、季刊誌発刊時台割り作成からラフ書きまで、あらゆる業務が皇子に降りかかった。

皇子のテンパリ具合は並じゃなかった。圧倒的な物量が、彼の顔を険しく変える。サイト構築のバイトをどこかから取ってきたと思えば、マックＧ５の前に座って破滅派のコーディングを始め、一段落してあくびをしたと思えば、マルボロ・ライトを一本吸ってから自分の小説を書き始め、頭をかきむしりつつカギカッコを入れるか入れないかを声に出して悩みながら、コーヒー豆を挽いてくれと潮さんに頼み、潮さんがコーヒーを入れると、別に飲みたかったんじゃなくて、コーヒー豆をガリガリ挽く音が聞きたかったんだ、と言い捨てて湯気の立つムーミンのマグカップを睥睨（へいげい）し、<div id="novel">だとかbody{background-color:#2F4F4F;}だとか、意味のわからないＨＴＭＬのコーディングを始め、キーボードに憎しみを叩きつけた後、今度はメールを起動して「同人各位」と原稿催促のメールを送り、「メールを送信しました」という表示が出るより先にスカイプを起動して、貯畜との会議を開始し、印刷屋の資料比較検討や銀行残高の報告・ベンチャー企業支援団体の有無などの議題を論じ、赤い「切」ボタンを押してヘッドセットを外し、ふーっと深く息をついてから、「うわあ、テンパった！潮、バニーガールの格好でクネクネしてくれ！」と叫んだりした。

そして潮さんは大学の文化祭巡りで季刊誌『破滅派』の売り子をやったときのバニーガールの衣装

に着替え、観念したといった顔でクネクネと踊った。尻を突き出し、両手を腰に当てて、十分間も。かといって皇子は満足げな顔を見せる訳でもなく、「死ね……死ね！」とでもいう冷たい眼で見下ろしながら、再びキーボードを叩き始めた。誰もなにも言えなかった。破滅派の存続は皇子の双肩にだけかかっていたのだから。

そうした状況を見つめながら、アマネヒトになにができたろうか？　君には隠すことを止めておこう。なにもできなかった。皇子のためには。ただ、これまでのように逃げないだけで精一杯だった。

皇子を尊敬するあまり、ただ皇子の苦しみを受け入れることしかできなかった潮さんは、アマネヒトに対してますます挑発するようになった。自分から東京ディズニーランドに行こうと言っておきながら、シンデレラ城の三〇〇メートル手前で「みんな浮かれすぎよ！」と怒鳴り、ウィニー・ザ・プーの笑顔が怖いとパニックを起こした。壊れてみせるのが、彼女の媚態だった。

挑発は明け透けになっていった。これまでも男に抱かれるときの話はしたが、他人事のように話したので、アマネヒトにはお伽噺みたいにしか聞こえなかった。そんな言葉が、二人きりでフライヤーを配りに回っていたとき、現実の厚みを帯びた。

夏が来ようとしていた。二人が乗る東西線は、車掌の判断ミスで冷房が入っていなかった。じっとりと、空気そのものが汗をかいていた。

「座りましょうよ」

潮さんが指した席は、二人分に足りなかった。詰めるだけの余裕もない。それでも潮さんはアマネヒトを最初に座らせ、わずかに空いた席に尻をねじ込んだ。汗ばんだ肘が、詩人の腕の内側にはりついた。わずかに折り重なる彼女の体温が、汗でますますはりついて、神楽坂で音を立てた。

「今日、私は編集部に泊まるからね。皇子と寝るの」

潮さんは呟いた。後ろを振り返りながら、捕まりたくて仕方がないという顔で。

思わず追いかけて掴んだ右肘が、アマネヒトの一生一度の横恋慕となった。そのときの詳細は、すでに書いたとおりだよ。新大久保の豚肉専門焼肉屋だ。彼はその場所だったことについて、ほんとうにすまなく思っている。そして、そのときに君の名前を知らなかったことも。


横恋慕を悪と呼ぶことは簡単だ。でも、破滅派の役には立った。罪悪感は人を優しくするからね。潮さんには、いままでよりも皇子の苛だちを受け止める力がついたんだよ。それはまた、アマネヒトに関してもそうだった。

アマネヒトは休みなく代理詩人として働き続けた。仕事が見つからないときは、原宿の竹下通りに立ち尽くし、田舎の中高生に笑われながら客を募った。誇り高い彼がそれでも耐えられたのは、他でもない、潮さんのためだった。

潮さんはアマネヒトにキスをするとき、コキリと音が鳴るほど大きく口を開けた。なにもそんなに口を開けなくてもよかった。アマネヒトがそう尋ねると、「だってできる限り含んでいたいから」と答えた。正直になったあとはいつも、「私、気持ち悪いね」と付け加えて泣いた。誰かが彼らを責めたわけではないのに、どんどん追い詰められていった。苦しさは潮さんの生理が二ヶ月止まったことで一層強まり、妊娠検査薬の陽性反応が出た瞬間から、耐えがたいものに変わっていった。二十本試したが、やはり赤紫の線が出た。

「私はミス妊娠検査薬ね」

「オムロンから感謝状が来ますよ」

皇子に隠れて会うためのイラン料理屋で、どんなに明るく振舞っても、二人の顔は暗かった。遁走癖のある代理詩人とパニック障害の小説家志望には、子供を育てる自信がなかった。潮さんが思いつきの冗談を言っては泣き、アマネヒトが慰めるのが習い性になっていった。

「アウレリャーノと呼ぶのはどうかしら」

潮さんはマスカラの溶けた跡を拭いもせず、言った。

「子供の名前を？」

「そうよ。アウレリャーノ。いいでしょ？　みんなには気づかれないし。いつか、約束したじゃない。『百年の孤独』の家系図を作ろうって。ねえ、いいでしょう？」

「いいですけど、皇子は気づいちゃわないかな。だって、潮さんに『百年の孤独』をあげたのは皇子なんだから」

「大丈夫。あの人は色んな本をたくさん読みすぎて、どれがどれだか解らなくなってるんだから。もう固有名詞なんて覚えられないの」

「ぼくは正直に言った方がいいと思います。そうしないと、皇子も、アウレリャーノもかわいそうだ」

「ダメよ。皇子には言わないで。そうしたら、きっとあの人は小説を辞めてしまうから。そういう人なのよ」

潮さんは人差し指の節を噛んだ。不安に押し潰されそうになると、そうしてしまうの、いつかそう言っていた。アマネヒトは切なく胸を締め付けられながら、静かな決意を育てていった。

でも、生活ということに関して、詩人の決意などなんの役にも立たないものだ。アマネヒトは、もしかしたら自分も皇子のようにパソコンの技術を身につけて、それを仕事にできるかもしれないと思い立った。皇子はポケットに忍ばせたUSBメモリーに小説のデータを収め、仕事先でこっそり執筆している。「タグ打ちの怪人」と言われるほど打つのが早いから、小説を書いていても怪しまれないという。そうなれれば詩人の夢を捨てずとも済むかもしれないと、自らサイト構築の分担を申し出たが、貯畜から届いたサイト作成マニュアルをほんの十行読んだだけで、例の遁走癖を発揮した。

＊

to: 天地さん

こんにちは。貯畜です。
サイト構築を手伝っていただけるそうで、ありがとうございます。現状、私と皇子には他人を教育している余裕が皆無という逼迫した状況ですから、以下に掲げるスキルを独学で身に着けていただけると助かります。意味不明な言葉がある場合は、グーグルなどの検索エンジンで「＊＊＊とは」と入れれば理解が深まるでしょう。

【全般】
『破滅派』は文芸誌ですので、活字文化という旧メディアに慣れ親しんだ人たちをウェブ空間に誘導することを想定しています。したがって、ハイエンドなモデルを導入するつもりはありません。ユーザビリティを第一に考えます。要は定年退職した守旧派団塊世代が一向に買い換えようとしない低スペックＰＣでも見られるようにするということです。フラッシュなどの多用は避けてください。画像の代替テキストは必須です。活字文化の住人には画像を憎んでいる人がいますので。

【コーディング】

フルＣＳＳでお願いします。『破滅派』のようにテキスト主体で構成され、毎号コンテンツの中身だけが入れ替わるサイトは、ＣＳＳによるレイアウト管理がもっとも有効に働きます。マークアップなどの手法を洗練させれば、これからのサイト運営はどんどん楽になっていくでしょう。

【デザイン】

表紙カットを提供してくれた作家さんにテーマカラーを聞くなどして、シンプルかつ統一の取れたものにしてください。画像サイズについては既存ページをチェックし、特に理由がない場合は変更を控えてください。レイアウト変更は余裕ができしだい大々的に行う予定です。現状ではサーバーの問題でムーバブルタイプしか使えませんが、ＣＧＩの導入自体は前向きに検討中です。

【SEO対策】
必須です。ヘッド部分へのキーワード埋め込みは勿論のこと、積極的なリンクもお願いします。ヤフーのカテゴリ登録は済んでおりますので、mixi・はてなダイアリー・Wikipediaなどの巨大サイトも積極的に利用してください。多少は無茶をしても構いませんので、集客率アップをお願いします。

【その他】
製作用アプリは現状では皇子の持っているG5にすべて入っているのみです。皇子はおそらくへばりついているでしょうが、上手く時間を調節して使ってください。もっとも、そろそろ壊れる寸前でしょうが。

それでは、以上で説明は終わりです。お互い、頑張って破滅しましょう。

P.S.

これから二週間後、大学でレポートの提出があります。『ハーバーマスによるカント批判』という堅いテーマですので、噛み砕くのに時間がかかりそうです。よって、ご質問のメールにはすぐお答えできないかもしれません。その点、ご寛恕ください。

＝＝＝＝＝＝＝＝＝＝＝＝＝＝

破滅派編集部　貯畜

info@hametuha.com

＊

出奔から二週間たって、アマネヒトはのこのこ戻ってきた。

「あんなことは、文学じゃないですよ！　管理だ集客率だって、まるでサラリーマンじゃないですか！」

皇子はマックG5に視線を向けたまま、鼻で笑った。

「俺はいいぜ、現にサラリー貰ってるし。その代わり、おまえがサラリーマン風情にはとても書けないような文学的なものを作ってくれよ」

「ぼくが言っているのは、そういうことじゃないですよ。皇子はもっと、自分のことを優先してくれなきゃ！　じゃなきゃ、悲しむ人がいるんですよ！　書かなきゃ」

「なんだよ、周りのことをもっと考えろってか？」

皇子はキーボードから手を放し、その鷹のような目を鋭く煌かせながら、煙草に手を伸ばした。

「それこそサラリーマン的発想じゃねえか。調整役を気取るんなら、俺がやってることを全部やってみせろ。で、自分の詩を書くんだな。俺はもう来月更新分の短篇を書き終えるぜ？　おまえはどうなんだよ？」

アマネヒトには返す言葉がなかった。皇子の言葉はあらゆる意味で正しかった。でも、正しさ？　それが詩人にとってなんの意味を持つだろう？　そんなものは豚にでも喰わせておけばいい。アマネヒトは彼の美しすぎる顔に精いっぱいの憎悪を込めながら、皇子を睨んだ。

「ぼくはもう、潮さんをあなたに任せておけない」

「俺は別に、潮をおまえに任された覚えはないぜ。そもそも向こうが助けてくれって来たんだ」

もしかしたら、君はこう思っているかもしれない。この場に潮さんがいなければいいと。でも、潮さんはその場にいたんだ。たった今踊り終えたばかりの、バニーガールの格好で、恐怖のあまり親指を咥(くわ)えながら。

「潮さんのお腹には子供がいます。あなたはそれも受け止められるっていうんですか？」

皇子は煙草の燃えさしほどの動揺さえ見せることなく、嘲るような笑みを漏らした。

「じゃあ、聞くけどよ、アマネヒト。おまえには準備ができてんのかよ？　つーかさ、その子供とやらが、ほんとにおまえの子供だと思ってんの？　誰から聞いた話でそう判断してんの？」

あのあと皇子と寝たのか、と詰問するより先に、潮さんの卒倒する音が響いた。まるで、ジェーン・オースティンの小説の登場人物みたいに。アマネヒトはそれをずるいと思いながら、ぼやっと白けていく頭で反論の言葉を練ろうとした。が、なに一つ浮かばなかった。彼はただ、自分が弱みを見せたって皇子には通用しないと諦めながら、「どうするんですか、この子供は」と尋ねた。

「産んで育てるに決まってんだろ。他に何か選択肢があるっていうのか？」

皇子はキーボードを叩き続けた。カタカタと破滅を奏でるその音に怯え、アマネヒトは逃げ出した、そして見た。床の上ではバニーガールの格好をした潮さんが、虚ろな眼で地面を眺めながら、親指をしっかりと咥え込んでいるのを。豊満な身体の女が赤ん坊に戻ると、反って汚く見えた。

アマネヒトは、潮さんと二人きりで会うことができなくなった。潮さんもそれを望まなかった。アウレリャーノについての話も出なくなった。すべてが水面下で処理されそうな気配だった。おそらく皇子は今までどおりバリバリと働いて、子供を育てるだろう。もうアマネヒトには関係ない。そんな雰囲気だった。

アマネヒトがなお破滅派から遁走しなかったのは、不思議なことだった。彼はこれまで、何度も逃げ出してきた。遁走癖は彼の詩人らしさを際立てたし、天使のような外見とあいまって可愛らしい特徴にもなっていたのだから。今回だって逃げてよかった。そうしなかったのは、潮さんのためというより、皇子のせいかもしれない。師を持たなかったアマネヒトにとって、皇子は大文字の文学だった。

代理詩人の仕事を増やし、余った時間は破滅派の編集業務に当てた。これまで皇子が担っていた校正作業を引き受け、取材記事の作成に努めた。夏が本番になっていた。汗でべたついた肘に髪がはりつき、尻の下のクッションが不愉快な湿り気を帯びた。芸術の天使は、不器用な生活者に身を堕した。

その頃、破滅派では、山谷感人の切望によって、太宰特集をやることとなった。例によって、ただ文章だけを集めるのではなく、写真をたくさん入れ、いかにも雑誌風にするのだ。写真の多い原稿が人気コンテンツになりやすいことは、出版の常識でも、破滅派の経験でも明らかだった。

取材陣として任命された山谷感人、ほろほろ落花生、そして天地遍人は、中央線に乗って三鷹へ向かった。太宰治フリークであり、自らも無頼派の暮らしを実践している感人は、三鷹駅の改札にある地図の前で道順を示しながら呟いた。

「パソコンで太宰のことを調べた奴が、間違って釣られるかもしれないし。そういうの狙いで、変な写真をいっぱい撮ろう」

「それで、キャプションにそれっぽいキーワードをちりばめるんですか？」

アマネヒトが尋ねると、感人はロング缶の蓋を開けた。人目のある場所でも開けられるよう、掌で缶を隠して静かに開ける方法は、アル中の習い性だ。それから勿体ぶって口を尖らせるが、別に答えるための時間を稼いでいるわけではなく、会話を有耶無耶にするために酒に逃げているだけだった。

それを見て、かつてＳＥで現在無職のほろほろが答えた。

「まあ、いちお、皇子が盛り込むキーワードをリストアップしといてくれたから。それを全部入れる感じね」

ほろほろが持つ紙には「太宰治」「森鴎外」「三鷹」「禅林寺」「玉川上水」「心中」「入水」「山崎富栄」「パビナール」といった太宰用語に加え、「リストカット」「助けて」「自殺願望」「死にたい」「救済」「極楽浄土」「もうやだ」といった、あまり関係ない用語まで入っていた。

「なんですか、これ？『もうやだ』とかは関係ないじゃないですか」

「まあ、私もそう思っていた。がね、皇子の言葉を聞いてなるほどと得心したよ。ほら、アマネヒト君、考えてごらん、ポイントは想像力だよ」

「想像って、なにをですか」

「仮にだね、『太宰治助けて』と検索する輩がいたらどうだい？　これはもう重症だ。現代社会の負の側面を体現するような輩だよ。そして、その輩が破滅派を知る。どうなると思う？」

「どうなるって、ヒットしますかね」

「するよ。ビンビンだ。ねえ、感人先生」

急に水を向けられた感人は、すでに空になったロング缶を軽く握り潰しながら、「だねえ」と同意した。

「そもそも真っ当な人を集めたかったら、『破滅派』なんて名前にしちゃダメだし。もっと、ほら、『健全派』とかさ。如実にロハス的なものにしないと」

「そのとおり。アマネヒト君、君もね、覚えておくといい。破滅派はサンマの網漁じゃなくて、マグロの一本釣りなんだ。変な奴を集めるのが目的だからね」

「それはそうですけど、変な奴集めたって別に儲からないですよ」

ほろほろ落花生はポケットからストッキングを取り出し、さっとかぶった。薄布越しに、変形した顔の異形が透けている。

それからのほろほろについては、言葉を失うほどだった。太宰治の墓前で海水パンツ一丁になるわ、玉川上水にかかる万助橋で飛び込むような格好をするわ、太宰が植えたゆかりの百日紅によじ登るわ、かぶっていたストッキングで感人の首を絞めるわ、やりたい放題だった。あれこれと指示を出しながら、写真に収まっていく。

「よし、アマネヒト君、私と感人先生の間に太宰が入るよう、上手い構図で撮ってくれ」

ほろほろは感人と間を空け、ポーズを撮った。玉川上水沿いの歩道で海水パンツ一丁になり、しかも頭にはストッキングをかぶっている。人通りは決して少なくなかった。代理詩人は柄にもなく狼狽し、慌ててシャッターを切った。なよなよとした紳士のほろほろが、この日は異様な気迫を持っていた。

「なにやってんだ！　こんなんじゃ、太宰が間に入らないではないか！　ちゃんとやりたまい！」

デジカメの画面を見たほろほろは激昂した。アマネヒトは怖気づきつつ、「なんで太宰が入るんですか」と反論した。

「合成するんだよ。皇子が合成しやすくするためにも、ちゃんと間を空けないと。二人の距離が近すぎると、トリミングが大変なんだ」

「それなら先に言ってくださいよ。ぼくは合成のやり方なんて、知らないんだから。ほろほろさんだって、やり方知ってるんなら、皇子を手伝ってあげればいいじゃないか」

むくれた詩人を見て反省したのか、ほろほろはいかにも申し訳なさそうに俯いた。ストッキングで歪んだ顔は、悲しそうでもあり、また笑っているようでもあった。彼は彼なりに破滅派が破滅してしまわないかと怯えているらしい。が、彼の愛は世間的な生活となんの関係もなかった。それを暴き立てるように、側を通りかかった自転車の主婦がギャッと叫んだ。

「まあまあ、お二人さん。仲良くやろうぜ。捕まっちゃ事だし」

感人が煙草のヤニで黄ばんだ歯を剝き出しにして、馴れ馴れしくニヤついた。おまえももう少し働けよ、という呪詛を飲み込んで、アマネヒトはカメラマンの役に戻った。

五十枚近い写真を撮り、これ以上回るべき名所はないと疲れ切ったアマネヒトは「もう充分でしょ。帰りましょう」と呟いた。とっぷりと陽が暮れ、すでにロング缶を七本空けている感人は蹌踉(そうろう)として、すべてを諦めた生き物の足取りになっている。でも、ほろほろの眼にはストッキング越しにさえ情熱が輝いていた。

「まだだよ、アマネヒト君。我々はまだ決定的なものをやっていない。クリティカルな跳躍をね」

ちょうど、太宰が入水した地点にいた。玉川上水沿いの歩道で、太宰の出身地金木町から送られてきた石が路傍に置かれている。かつては死体が上がらないとさえ言われた激流の玉川上水も、いまではすっかり整備され、飛び越えられるぐらいの小川になっていた。ただし、歩道からフェンスで区切られ、土手は高く、しかもその土手には憂鬱性のブルース歌手の髪型みたいに木々が茂っていた。川縁まで降りることはできそうにない。

でも、ほろほろは降りた。凱歌を上げるフランス革命兵士の足取りで、フェンスを乗り越え、土手の枝々をバキバキと折りながら、おらーと叫んで。そして、アマネヒトは見てしまった。ほろほろが暗がりの中で、小気味良く羽化する蟬のようにパンツを脱ぎ捨てるのを。

「ほら、早く来るんだ、アマネヒト君！　感人先生はそこで警察が来ないかどうか、見張っていてくれ！　私が猥褻物陳列罪で捕まらないように！」

アマネヒトは全裸でストッキングだけかぶった男が泣き笑いのような顔で猛々しく命令するのを見て、夢みたいだと呟いた。そして、そうだこれは夢なんだ、と思い込みの呪文をかけると、同じように枝を折りながら降りていった。

「よし、アマネヒト君、写真を撮ってくれたまい。そんなに呼吸は続かないから、ワンテイクで頼むよ」

説明抜きで玉川上水に漬かったほろほろは、うつぶせになった。暗い小川の中に生っ白い尻がぷかりと浮かんでいる。対岸にはツツジの狂い咲き。どれもこれもぷりんとして、アマネヒトは夢中でシャッターを切った。てぃろりろりんというデジカメのシャッター音が、静かに谺（こだま）して、あらゆるものを艶めいて見せた。

いつか、皇子が書いたように、水に濡れたストッキングは目が詰まってしまう。ほろほろは窒息しかけ、口元のストッキングを破くことでなんとか一命を取り留めた。

「これ、どうぞ」

咽せるほろほろに天使がタオルを渡す。ありがとうとつぶやくほろほろの口元の、破れたストッキングの隙間から笑みが溢れた。川縁に座り込み、ゆっくりと身体を拭く。パンツを穿き終えた瞬間に歌が聞こえた。ほろほろの携帯から『愛は花、君はその種子』の着うたが流れている。

「あ、はい。うん、そう。そうか……」

ほろほろはそこまで言うと、「ありがとう」と呟いて、得も言われぬ笑みを浮かべた。すべてが終わってしまったことに同意するアルカイック・スマイルだ。

「どしたんですか？　いいことでも」

「子供が生まれたんだ。息子」

「え、子供？　ほろほろさん、結婚してたんですか？　ゲイなのに？」

「うん。五年目だよ」

「それ、新作のアイデアですか」

「うん、創作ならただふるふる感動すればいいんだけど、これは現実のお話だからね。膝が震えるよ」

ストッキングをかぶって水に飛びこむ人間が妻帯者だなんて、現実のはずがなかった。しかし、八月の夜、湿り気を帯びた大気が気道をくすぐり、夜気が優しく丸み始める刻。その温みの中でさえ、ほろほろの膝は現に震え、怯えの速度を示していた。

その後、一行は三鷹駅近くの居酒屋和民へ行った。皇子が用意してくれたキーワードをちりばめながら会話をし、原稿の素材を作るのである。三階の座敷席はほとんど埋まっていて、どうやら長い研修を終えた新入社員たちが、銘々の現場へ散って行く前の壮行会だった。健全さがはちきれそうになっている居酒屋の隅っこで、さっき玉川上水に飛び込んだ男が緑茶ハイを傾けていた。

「アブサンみたいだ」

ほろほろは呟いた。グラスを植えに掲げ、蛍光灯に透かして下から覗き込んでいる。その色は、緑の詩神(ミューズ)と呼ばれたアブサンの色とは月と四〇ワット電球ほどの違いがあった。

「前、持ってたじゃないですか。今日はないんですか」

「お、持ってんのかい？」

感人がアル中一流の横入りをすると、ほろほろは自嘲気味に「ああ、あれのこと」と嗤う。

「あれね、全然本物じゃないのだよ。ツヨンという幻覚作用を見せる物質の濃度が低い。本物は禁制品。人生と同じ。本物は、禁制品」

「奥さんはどんな人なんですか？」

アマネヒトは尋ねた。少し唐突な尋ね方だった。密造酒について語っていたほろほろの口は、そこからどうやって家族のことを語ってよいのか解らず、蓮の花のような形に開いた。頬にストッキングの残した皺がある。

「ほろほろさんが結婚してたなんて、ぼくはまだ信じられない。それはなんかの比喩ですか？」

ほろほろが答えずにいると、感人が得意げに「いや、現実さ、坊や」と忠告した。坊やと呼ばれた天使はむくれ、アル中に飛びかかった。アル中はそれをいなしながら立ち上がった。高らかに哄笑を響かせるつもりでいたのだろう。しかし、開いていた下駄箱の扉に頭をぶつけ、ギャッと蹲（うずくま）った。

「奥さんは、ゲーム作ってるよ。任天堂とかの。とても面白い、ゲーム。子供たちはキャーキャー騒ぐよ」

ほろほろは呟いた。ぽつりぽつりと紡がれていく家族の詳細は、破滅派同人としてのほろほろへの葬送歌となった。

「じゃあ、ほろほろさんはもう破滅派には参加しないんですか」

「いや、参加はするよ。ただ、ペースは落ちるであろう。オシメ換えなきゃいけないし、仕事もしなきゃいけないし、他にも色々しなきゃいけないし……」

「いけないい、ばっかりですね」

「うん、そうだ。いけないことばっかりだ。だがね、アマネヒト君。私は父親になるのだよ」

ほろほろは言い捨てて、まがい物のアブサンを飲み干した。酔いが回ってとろんとしたまぶたには、まだストッキングの跡が残っていた。すべてを諦めたような顔で笑っている。

「ほろほろ落花生という名前の由来は、君に話したかな？」

「いえ、聞いてませんが」

「そうか。じゃあ、教えておこう」

ほろほろ落花生はそう呟くと、その名に込められた真意を語った。落花生は、読んで字の如し、落ちた花から生まれる。ほろほろと崩れ落ちる花は、たとえ滅びたとしても、新たな生を生むことだろう。キリストのたとえと同じだ。一粒の麦もし地に落ちて死なずば、唯一つにてあらん、死なば多くの実を結ぶべし……。再生には犠牲が必要だ。新たな生命への供物にならんと、この名前を選んだ。だってそうだろう？　名前とは、そのものにつけられる祈りのことだから。

涎のような雨が鳴り始めると、アマネヒトの頭の中で、アウレリャーノがはっきりとした形をとり始めた。「私一人でなんとかするから、気にしなくていいのよ」とだけ言って、今までどおり生活している潮さん。その言葉がそれなりの説得力を持っていたのは、アウレリャーノが現実には存在しない、三文小説のようなものでしかなかったからだ。その言葉はいま、圧倒的な写実主義でアマネヒトに迫っていた。

「アウレリャーノがやってくる！」

叫び声は三鷹の空に吸い込まれた。ぽかんとしていた感人は「アウレリャーノね」と知ったような口を利き、それからぶつけた後頭部を触って、「血が出てやがる」と呟いた。

アマネヒトはどうしたか。彼は書いた。何を？　詩ではなく、履歴書を。

株式に関する業界紙へと提出した履歴書で、アマネヒトは修辞（レトリック）を弄した。「盛岡群青高校中退」と書くべきところを、国立大学を卒業した二十三歳の若き法学士と形容したのである。それは彼にとって、詩とはなんの関係もなかった。文字通り、新しいお仕事を得るための方便だった。

「あなたは他人とよく衝突するでしょう」

代理詩人が受けた適性検査の結果を見て、面接官は尋ねた。その口調には、ほとんど敵に出会ったような棘があった。

「そんなことはありません。ムードメーカーだとよく言われます」

「うん、でも、これはよく当たるんですよ。今後のために、どうぞ」

面接官はアマネヒトに検査の結果を示す紙を渡した。レーダーチャートは歪な矢尻の形になり、自由心は高い一方で、協調性がまったくないことを示していた。「今後のために」という言葉の真意が伝わっていないと思ったのか、同席していた営業担当が苦笑した。

「あと、希望の年収が五百万と書いてありますが、当社では一律三百万円からスタートということになっています」

「ですが、僕には子供ができるのです。貰えるなら多い方がよろしいのです」

同席していた営業担当がプーッと吹き出した。何が間違っているのか？　首を傾げながら、アマネヒトはストック・マーケット・レビュー㈱を後にした。

石川啄木は朝日新聞に校正係として入社し、給料を前借りして逃げた。中原中也は読売新聞を受験して落ちている。就職の失敗は詩人として不可欠なのかもしれない。いや、就職してそつなくやれる人間はきっと詩など書かないだろう。

でも、そのときのアマネヒトは失敗を笑える気分ではなかった。彼は詩作を諦め、アウレリャーノのために真っ当な職を探していた。少しでも条件がよい仕事を。だが、「少しでも」などという言葉は無意味だった。彼はこれまで四十二通の履歴書を提出し、二十二通が書類落ち、残りのすべても第一回目の面接で落ちていた。破滅派は自分を詩人にしてくれなかったが、そこから多くを学んだので感謝しているという「だけどサンキュー話法」、子供がいるからこそ仕事を適当にやるはずがないと先に弱みを曝す「居直り強盗話法」——事前のセミナーで学んでいたレトリックは役に立たなかった。その頃になると、面接で話が盛り上がっても、行けそうだという確信は悲しい期待でしかなく、どうせ面接官たちの息抜きなんだろと判断した。スーツが似合わないと指摘され、「ジャニーズ事務所に入れば？」と笑われても、遁走はしなかった。落ち着きを身につけていた。

落ち着いてどうする。状況は破滅派に劣らず逼迫していた。潮さんはもうつわりの時期を乗り越えて、ふっくらと腹が出ていた。下腹を手で撫でれば、そこには確かにアウレリャーノの手ごたえがあった。

「ぼくは、潮さんのお父さんに挨拶に行きます」

「でも、殴られるわよ」

「いいんです。仕事は絶対に見つけますから」

アマネヒトは何かをしたくて、年に一度の生贄に選ばれた牛のように鼻息を荒くしていた。潮さんはそんな詩人の頬を撫で、優しく呟いた。

「いいの。本当に気にしなくて。あなたは詩を書いてください。凄く楽しみにしてるわ」

「でも、アウレリャーノはどうするんですか？　誰かが養ってあげないと」

「大丈夫よ。こう見えて私、いざとなったら気丈なんです。キャバクラで働けば、なんとかなるわ。そういう娘、たくさんいるもの、きっと。それこそ、子宮の数だけね」

「でも、潮さんはどうするんですか？　書く時間がなくなっちゃいますよ、小説」

「私は大丈夫。アウレリャーノにおっぱいでもあげながら、書きます」

「やっぱり駄目ですよ。潮さん一人に任せるなんて。ぼくは挨拶に行きます」

「いいのよ、ほんとうに。その代わり、アウレリャーノが生まれたら、たまに会いにきて」

「駄目ですよ。どっちみち、ぼくはもう大した詩なんて書けない」

「どうして？　自分だけは自分を信じてあげなくちゃ」

潮さんはテーブル越しに身を乗り出して、アマネヒトの顔を両手で掴んだ。

「だって、ぼくはもう童貞じゃなくなっちゃったから」

「どうして童貞じゃないと、いい詩が書けないのかしら」

「とんでもない遊び人か、修道士みたいな童貞か、どっちかじゃないと駄目なんです。徹底してなくちゃ」

自分は誰かの夢を挫いたと早合点して、潮さんは半狂乱になった。親指をくわえながら、「子宮め、子宮め！」と自分の腹を撫でさする。思いやりが捻じ曲がって傷付けあう。脆い人間たちの交わりが、新大久保のイラン料理屋ですひんすひんと不気味な音を立てた。代理詩人の父は七十歳の禅僧で、若い母を手籠めにし、そのまま昇天した――アマネヒトは自分の来歴をいまさら思い出した。

「それってマタニティブルーじゃねがべが？」

自分のことだとは言えないまま、姉の海に相談すると、そんな答えが返ってきた。たしかに、ありえることだ。憂鬱症がそれに拍車をかけて、マタニティネイビーぐらいになっていてもおかしくはない。実際、潮さんは紺色のミニスカートを愛用していて、「ほら、ピンクじゃなくて紺ならビッチみたいには見えないでしょ？」と自慢していた。

「んだがもね。ウンちゃん、そったら時はどうすればえがべが？」

「勝手に進めちゃえばいがべや。いちいち了解とってたらば時間がかかっし、そういう優しさより乱暴に行動する方が効果的に助かるこどもあるべしよ」

至言だ。たしかに、潮さんはすべてを自分で抱え込み、さらに自家中毒を起こすことが多かった。

おりよく明日は日曜日、皇子と感人と潮さんは、新大久保の破滅派編集部で次号の作成を行っている。代理詩人は姉に借りた白いポロシャツ――日曜日の色――を身にまとい、世田谷にある潮さんの実家へ向かうことにした。

オートロックのインターフォンの前で、天使のようにまっさらなポロシャツに身を包んだアマネヒトは、声変わりが済んでいないような声で、「天地遍人と申します」と叫んだ。インターフォンの向こう側、突き抜けて明るい主婦の声が「アマネヒトさん。私の天使ね」と答えた。

「あの、突然ですけど、『私の天使』って?」

居間に通され、自己紹介も済んだところで、潮さんの母上は「あなたはうちでそう呼ばれてるの」とうきうきした足取りでお茶を用意し始めた。

「お父上はお出かけですか」

「いますよ。慌てないで、私の天使」

それなりに値の張るだろう茶器をかちゃりと鳴らし、マカロンなどという洒落た菓子を盛ったお盆を置いて、潮さんの母上は奥へ消える。しばらくして戻ってきたのは、早く行きなさいよ、やだよ恥ずかしいよ、という具合に仲好く寄り添う中年のカップルだった。

「こちらがお父上よ、私の天使」

潮さんの父上は上下スウェットで、首に手ぬぐいを巻いていた。「ジョギングに行くところだったんだよ」と笑った。ごま塩の短髪は、年齢なりの気難しさを押し隠す。潮さんは明るい家庭で育った。そんな単純な事実に涙含みそうになるのも、七十歳で昇天した禅僧の亡霊がなせるわざだった。

代理詩人は涙を飲み込んで、潮さんの父上に向き直った。

「今日は折り入ってお願いがあります」

「なんだい、その……私の天使」

父上は「この呼び方恥ずかしいながはは」と笑った。水玉の手ぬぐいが膨らみながら、家庭の穏やかさを増していく前に、詩人は言葉を出した。

「娘さんをください」

笑いの余韻が消えないままに、潮さんの父上は紅茶にミルクを滴らした。スプーンでかき回されるうちに、白い疑問符の形になる。

「実は、もう子供がいるんです。ご報告の順番が逆になってしまいましたが」

父上は世界一純朴な村の長みたいに腕組みをした。アマネヒトは急に殴られた場合に備え、ぐっと頬に力を入れた。

「今幾つだい、私の天使」

「今年で十九になります」

「若いな。仕事は代理詩人というのをやってるんだろう？　喰えるのかい」

「ええ。一人ならなんとかなりましたが、親子三人ということになると、きちんと働かなくてはいけません。今は正社員を目指しています」

「でも、君はまだ二十歳前だろう？　そんな人を雇ってくれるところがあるのかい？」

「いま、探しています。きっと見つけます」

再び父上は腕組みをした。母上だけがニコニコと笑っている。

「私の天使、貯金は幾らあるんだ」

「八万円です」

「八万円か……少ないな」

「しかし、末広がりです。これからどんどん増えていきます」

「末広がり……ははっ」

父上は場違いな笑いを飲み込んだが、口元はにやにやしていた。真面目な顔で取り繕っても、生来の明るさはこんなときでも消えない。

「君のご両親はどう言ってるんだ」

「父はいません。即身成仏になりました。母は岩手の山奥でミシンを踏んでいます。あまり頼りにはできません」

「そうか……うむ、よし！」

父上は母上に耳打ちをした。母上は妖精のように耳を尖らせ、「妙案だわ！」と叫んだ。

「あの娘の面倒は私が見よう。生まれてくる子供も、だ」

「そんな、生活の面倒はぼくが見ます」

「いや、気にしなくていい。君は詩を書くんだろう、私の天使？　だったらそれに邁進するんだ。そして、詩で身を立てたらあの娘を迎えに来なさい」

「そんな、無理です。詩で身を立てるなんて、歴史上でもそんなにいないはずですよ。ぼくは正社員になるんだ！」

「いいんだよ、私の天使。人にはそれぞれやるべきことがある。さあ、私はジョギングに行く時間だ」

父上は逃げるように去って行った。残った母上をどんなに問い詰めても、「お父さんが決めたことですから」と微笑で躱されるだけだ。アマネヒトにはすべてが優しい拒絶に見えた。マカロンをすべてかきこんで、代理詩人は「ああ、くさくさするなあ！」と叫んだ。フランスの匂いがぷんと漂い、母上は「くさくさってなあに？」と笑った。

その後も就職活動に進展はなく、アマネヒトは再び海に相談した。もちろん、アウレリャーノのことは隠して。彼女なら、芸能人のマネージャーなどの仕事を斡旋してくれるかもしれない。

「アーだんは、裏方さなりてえの？」

「別になりてぇわけじゃね。んだけど、仕方ねがべや。安定した職さつがねぇと仕事ねぇのさ」

「んだな。小圷さんに聞いてやってもいいけんど……たぶん難しいべな」

「なんでよ。ぼくが異常人格者だがらが？」

「違うんだ。若すぎるのさ。だってそごいらのアイドルと同じ歳だべ。マネージャーみだいな世話役が務まるわげながべや」

「そったらこと、やってみねぇとわがんねってば」

「んだな、わがんね。だがらダメなのさ。やってみなくってもわがる人じゃねぇと、雇ってもらえねえの」

「あいや、貧乏性だこと！」

海は笑いながら、アマネヒトの頭を撫でた。馬の柔毛のようにふんわりとした頭に、白い指が埋まる。

「アーだん、もしお金が必要だったらば、心配しなくってもえがべ。私、二百万ぐらい用立てるだらよ」

「プロデューサーと寝たべ！」

「寝ね！　この間出したＤＶＤがけっこう売れたんだっけ。水着さ着たけど、やましいことなんてしてねえじゃ。基本、女向けだ」

代理詩人は唇を噛んだ。見かけの優しさとは裏腹に、誰も彼もが、詩人を貶めようとしている。アマネヒトは心を閉ざした。

そして、前よりもずっとたくさん書くようになった。何を？　履歴書を。

履歴書と写真に投じた費用が三万円を超える頃になると、さすがにアマネヒトも金銭的なことが気にかかり始めた。貯金はもはや末広がりではなくなり、不吉な数字に変わっていた。代理詩人の仕事も増やすわけにはいかず、潮さんがいつか手紙に書いた、「預金通帳の厳粛なリアリズム」が襲い掛かってきた。

「ああ、くさくさするなあ！」

叫び声は書物の牢獄に響き渡った。無職でアル中の感人がこちらへ寄ってくる。

「なに、いい言葉使うね。どしたの」

「仕事を探すのにお金がかかりすぎるんですよ」

「馬鹿だなあ。俺みたいに裏系の仕事をやればいいんだよ。裏ＤＶＤ作りとか。東スポに載ってるやつ。電話だけで決まるし」

「そんな仕事、子供に見せられない！」

思わず叫んだ瞬間、それまでパソコンをいじっていた皇子がくるりとこちらを向いた。アマネヒトがカッターで切り裂いた写真の残骸を眺め、一言ぽつりと呟いた。

「写真と履歴書だろ？　そんなもん、千円あれば、百枚作れるぜ」

皇子はそう言うと、カタカタとパソコンをいじり始めた。二、三分もたつと、部屋の奥にあるプリンターが白い舌を吐き出した。

「なんで早く言わなかったんだよ。勿体ねえだろ。貧乏のくせに」

紙の端をとんとんと揃えながら喋る皇子の如才なさに対し、アマネヒトは隠しようのない嫉妬を覚えた。想像してみるまでもない。皇子はアウレリャーノを首尾よく育てるだろう。潮さんの実家だって、裕福そうだった。もしかしたら、潮さんはそれを見越してすげなくしているのかもしれない。そう思うだけでいてもたってもいられなかった。

「茶番だ！　なにもかもが！」

「なにがだよ。就職活動が茶番なんてことは、もう全員知ってるぜ」

「だって、潮さんはぼくのことを『私の天使』って呼ぶんだ！」

皇子は一瞬きょとんとしたが、すぐに「大江健三郎だろ」と言った。

「なんですか、それは」

「なんて小説だったか忘れたが、恋人をそう呼ぶ女が出てくるのがあんだよ。ぶよぶよに太った娼婦だけどな。だから、気にすんな。いい意味だ」

恋敵に励まされては惨めになるだけだ。何か言ってやらなければという焦りが、アマネヒトを挑発的にした。

「潮さんがパニックになったとき、ずっと破滅派にかまけてたくせに！」

皇子の鷹のような目がぎらりと光った。

「おまえが、貯畜から来たメールを貰ってスタコラサッサと逃げたあと、潮はパニックを起こした。そのとき、どうしたと思う？　誰が後始末をしたと思う？」

答えを待っても、皇子は何も言わなかった。にやにやと見下ろしている。ポロシャツの襟を立てた皇子は、アマネヒトよりもずっと背が高かった。

「なんなんだ！」

アマネヒトは叫んだ。皇子は「おまえこそなんなんだ」と笑ったが、詩人にしてみればそれさえもなんなんだと思った。なぜ皇子は潮さんのことをそこまで知っているのか？　すべてが意味不明だった。

それからしばらくアマネヒトが行方知れずになったのを出奔と名づけるのならば、そうだろう。結局、彼は逃げたのだ。

＊

しばらくお会いできなかった事、凄く心残りです。私、最後にあなたに会いたかったわ。きっと、アウレリャーノはあなたの子供だと思うの。なんでかは解らない。そんな感じがするわ。

馬鹿ね。きっと、こんな事、書かなきゃ解らなかったのに。あなたの優しさに開き直れたのに。そうよ、私は売女です。ね、だから私の事は忘れてください。アマネヒトさんはとっても才能のある人だわ。私みたいな人間にかまけている暇なんて無いの。あっちゃならないの。

私、三島由紀夫が好きです。皇子や感人さんは子供っぽいって笑うけれど、とても好き。上手いもの。でもね、私はそんな上手い小説を書けるような人じゃないんだわ。見た事無いもの。私の小説を読んだ人が泣いたり、笑ったり、怒ったりするところ。

それも仕方がないわね。だって、私みたいな子って沢山いるんだもの。破滅派に参加して一番勉強になったのはその事。うじうじして、男の人とどうやったら仲良くなれるか解らないまま大人になって、社交的になったと思っても媚びるような態度しか取れなくて。個性的でありたいと死ぬほど人を羨んで、そんな願いは結局のところ、ありきたりなんですもの。御免なさい。貧乏で苦しんだみたいな話をして、あれは甘ったれの虚勢です。

私の天使、あなたが羨ましいわ。年老いた老人に騙された母の性器からおぎゃあと生まれて、すべてのものからすたこらさっさと逃げ出して、それで天使みたいに美しいんだもの。

あなたならきっと素敵な詩が書けると思います。結局は何もしない嘘つきな完璧主義者は沢山いるだろうけれど、あなただけは違うでしょう。私が保証します。もっとも、私の保証なんて心の支えにならないかしらね。

ガルシア＝マルケスさんなんだけどね、あの人はとても苦労したそうよ。お金が無くって原稿の郵便代が払えなかったから、奥さんのドライヤーを売って送ったんですって。しかも、四十歳ぐらいの人がよ。でも、それで書いたのが『百年の孤独』なんだから、人生って素敵な事があるのね。待てる人が羨ましいわ。あなたはじっと待ってね。いつか、絶対に成功するから。あなたの詩が誰かの心を震わせる瞬間を、海の底ででも待ちます。いいでしょう？　アウレリャーノは連れてくわ。怒らないでね、私の天使。あなたはいつか、言ったわね。子供というのは、その父親のものでもあるって。それはそうよ。でも、つわりを経て、その間豚みたいに太って、挙句の果てには死ぬほど痛い思いをして産むのは女です。子供に対して父親の取り分は、普通預金の利息ぐらいのものよ。もっといえば、父親なんてものは、この世に存在しないの。ただ、女と、子供と、母と、男がいるだけなんです。だから、あなたの取り分を私に頂戴。

それではね。もう筆を置きます。このままじゃ長編小説になっちゃうから。最後に書いたのが呪いの巻物じゃあ、報われないもの。愛してるわ、私の天使。

＊

これは潮さんが潮さんとして最後に書いた手紙だ。就職活動を終えてヘトヘトになったアマネヒトは、速達で届いた遺書を受け取って一分後、夜の街へ駆け出した。姉に借りた灰色の七分袖のチェックパジャマ――土曜日の色――のまま。後ろには「待でや、アーだん！」という海の叫びがゆるゆるとたなびいた。その余韻を振り切ったとき、財布を忘れたことに気づいたが、驚く暇もなく、コンビニで買い食いをする塾帰りの小学生のチャリをパクり、はるか千歳船橋にある潮さんの家を目指した。

「大変です、潮さんが！」

そう叫びながら4・0・1・呼び出しと8ビートでインターフォンを叩きまくった代理詩人を迎えたのは、その潮さんの声だった。

「上がってください」

ガチャリと切れ、エントランスが開く。その先で彼を待っていたのは、きまり悪そうに親指を噛んでモジモジしている潮さんだった。代理詩人のとろけるような安堵の顔を見て、潮さんはぺたりと崩れ落ちた。

「あら、私の天使。どうしたの？」

潮さんの母上はアマネヒトの七分袖のチェックパジャマを一通り褒め上げたあと、潮さんが多摩川に落ちてずぶ濡れのまま帰ってきたおもしろエピソードについて話した。夜中、濡れてはりついたワンピースにぽっこりと出たお腹を浮かせ、泣き笑いのような顔で、「ただいま」を呟くと、何度も謝罪を繰り返し、そのまま眠りについたという。仕事から帰ってきた父上は、買ったばかりだというニコンD80で、娘の写真を撮りまくった。

「ほら、これがその時の写真だよ、私の天使。会社のプリンターで印刷したんだ。凄いだろう。ほんとの水のしたたるいい女って、はじめて見たよ」

A3サイズ光沢紙に引き延ばされた潮さんは、ずぶ濡れのワンピースで寝転がっていた。くの字になった細い肢体は白く艶めいて、健康そうに透き通っている。でも、普通の美人画とは違う、神々しさがあった。それはたぶん、写真の中心に潮さんのお腹があるせいだった。ただでさえ薄く、しかも濡れた生地の下で、ぽこりと膨らんだお腹。死ぬことを諦めた女が、そこに左手を乗せて、さっぱりとした顔をしている。瞬間を切り取ることを生業としてきた父上だ、無意識に、ということはないだろう。その構図にはアウレリャーノと、その母への確かな愛がこもっていた。

「この写真を貰ってもいいですか？」

アマネヒトの申し出を父上は快諾した。とても満足そうに。作者は自分の作品を本当に求める者がわかるのだろう。いつか、自分にもそんなときが来るといいな、と胸に暖かい思いを抱きながら、家族の一員みたいな面をしてみると、潮さんは「それを私の形見だと思ってください」と呟いた。

「あら、つれないことを言うわね」

母上は驚き呆れ、潮さんの額に手をやった。そして優しい拒絶の声で、「ひとまず今日はお引き取りください、私の天使」と笑った。

代理詩人は潮さんの写真をパジャマの懐に押し込んで、再びチャリを駆った。パクった場所にはもう小学生がいなかったので、そのまま置いて帰った。

悩みに悩みぬいた代理詩人は、書いた。何を？　詩ではなく、メールを。

＊

to: 貯畜さんへ

こんにちは。天地です。すいません、とつぜんメールして。ちょっと聞きたいことがあります。

以前、貯畜さんが書いた『善悪の余白』に出てくる「世界が真綿のように首を絞めてくる」という言葉についてです。

もうお耳に入ってきたかもしれませんが、今、潮さんは妊娠しています。その父親は他でもない、ぼくなのですが、周りの人すべてがぼくを父親にさせまいと妨害してきます。もちろん、それぞれの方は善意で言ってるんでしょうが、ぼくはなんだか馬鹿にされているような気がします。こうした事情は貯畜さんが書かれた善意のすれ違い、つまり「笑顔の殺人者としての世界」ではないでしょうか。こんな状況を打破するためにどうしたらよいでしょうか。よろしくお願いします。ぼくは苦しんでいるのです。後生ですから、助けてください。

＊

アマネヒトは待った。隙を見て書物の牢獄のマックG5を盗み見ては、貯畜からのメールを確認した。が、そのメールをはじめに見たのは、皇子だった。アマネヒトは共用のアドレスで送ってしまっていた。

「駄目じゃないか、あいつにこんなことを聞いちゃ。あいつはアクチュアルな部分を全部すっとばしてるんだ。現実的な問題なんて、何一つ興味ないんだぜ。見ろ」

皇子はにやにやと笑いながら、パソコンの前にある木椅子から立ち上がった。エスコートするギャルソンのような手つきで座らせると、吐息がかかるほどの位置でマウスをクリックした。新しく開いたブラウザの横にあるスクロールバーは、みるみるうちに縮まっていき、そのメールが恐ろしく長いこと、潮さんの書く呪いの巻物とは比べ物にならないくらい長いことを示した。

「人と人とのすれ違いなんて言葉を使っちゃあ、長くなる。あいつはいつも世界の成り立ちから話を始めるからな。ほらよ、アマネヒト。読んでみろ」

アマネヒトは文章に親しんで育った。しかし、書物の牢獄の住人である皇子でさえ「あいつは本の虫だからな」というほどの男、貯畜が書いたお答えメールだ。「世界内存在」「定言的命題」「永遠平和について」などの哲学的ジャーゴン満載のそれを読んで、言下に断じた。

「これはぼくとまったく関係がない！」

「俺ともまったくない！」

皇子は叫んだ。そして、一人笑いを繰り返しながら、「潮のことだろ？」と肩を叩いた。

「おまえは潮のことを何もわかっちゃいない。いいか、たとえ、どんなに疲れていてもだ、すぐに駆けつけなくちゃならない。しかも、黙々とやるのは駄目だ。潮の方が申し訳なさで押し潰されちまうからな。優しい言葉をかけ続けなくちゃならない。NGワードもあるから気をつけろ。徹夜で働いて、一服してから駆けつけるつもりでも、もうちょと待ってなんて言っちゃ駄目だ。ダッシュしろ。これをノーミスでこなすのは、本当に大変だ。普通にミスるぞ。いいか、どんなにへとへとでも、こうやって笑うんだ」

皇子が口を曲げて笑うと、確かに愛想笑いにはなっていたけれど、目が鋭すぎたので、悪魔みたいだった。

「わかりますよ。この間、潮さんは入水自殺をしようとした」

「死ななかったろ？」

「ええ、でも遺書が届いたから。ほっとしましたよ」

「大方、水が思ったより冷たかったんで、帰ってきたんだろ。『寒っ！』とか言ってな」

皇子はククククと共感の笑いを漏らしたが、やはり悪魔みたいだった。

「想像してみろよ。今、おまえは暇だ。何も書いちゃいない。しかしな、どうする？　いつか、最高の詩を書く瞬間が来るかもしれない。で、だ。その、最高の詩が生まれる瞬間に、潮から遺書が届くかもしれない」

「そうしたら、ぼくは駆けつけますよ。もう、詩はいいんだ。ぼくは父親になりたいんだ」

風が書物の牢獄を駆け抜けた。皇子はマックＧ５の脇に積まれた原稿が飛ばないよう、手で押さえつけた。その手つきの素早さが、破滅派に関わるすべてへの愛を物語った。

「おまえはさ、なんだかすべてを白黒つけたがるな。潮もそうだ。でもな、物事はグラデーションで進んで行くんだよ、どうしようもなく。こうやって俺たちがくっちゃべってる間にも、ガキんちょはどんどんでかくなってるんだ」

「それはそうですけど……だったら、ぼくはやっぱり父親になれない。皇子がなった方が……」

「おまえは自分の遁走癖やら潮のすぐ折れる心やら、物事をこじれさせるもろもろの特徴が直ると思ってんのか？」

「そんなのやってみなくちゃ、わかんないじゃないか！」

「まあ、たしかにわかんないな。でも、そうなったらおまえはつまんない人間になるぜ」

黙り込んだのは、同意の証拠だった。突然逃げ出したり、ぶったおれたりするのが詩人の特権だから。

「あのな、俺が解決法を教えてやるよ。おまえは勝手に八方塞がりだと思ってやがるけどな、人の話はきちんと聞け。潮のご両親はなんて言ってたんだ?」

「だから、詩人になったら迎えに来てくれって……」

「だろ? じゃあ、そうしろよ」

「でも、無理ですよ。今、詩人で食ってる人なんて、世界で三人ぐらいしかいないじゃないですか」

「だから、人の話は聞けっていったじゃねえか。アマネヒト、世界はおまえ次第だよ」

皇子の鼻から吹き出た息は、いかにも人を見下したような音を立てた。しかし、悪魔の息吹を吹き込まれて、自分の中の何かが変わるのを、アマネヒトは確かさとともに受け止めた。

「どうやって書けばいいですか?」

「知らねえよ。俺は詩人じゃないからな」

言い捨てながら、皇子は詩について語った。眠っていた剥製が動き出すぐらい長い話だった。長くなるほど、時間は濃くなっていく。蛍光灯の灯が不規則に明滅するような薄暗い部屋の中で、対話は人生での領土を広げていった。アマネヒトは自分でも思って見なかったような着想を幾つも得た。なにも、短歌やソネットのようなジャンルだけが詩ではないということ。ミルトンやダンテのような大長編という詩もありうるということ。そして、そうしたすべてを話し終えた後、アマネヒトは尋ねた。

「皇子はいいんですか。潮さんとぼくが……」

「俺がそんなことを気にすると思ってんのかよ」

「でも、皇子はそれだけ潮さんのことをわかっているのに……」

「なんでもできる悪魔より、なにもできない天使の方が愛されるってことを、悪魔が知らないと思ったか？」

皇子は寂しそうに笑った。あのあと、ぼくが潮さんと寝たあと、潮さんのことを抱きましたか？　代理詩人は何度そう尋ねようかと思ったか知れない。でも、彼はその問から逃げ出して、考えないことにした。皇子は破滅派のためにアマネヒトの顔写真を利用しようとしなかった――その不在証明が優しさの顔を見せた。

「だったら、皇子、ぼくのことをネタにして小説に書いてください。ぼくの父は七十歳の禅僧で、まだ高校生だった母を手籠めにして、そのあと即身成仏になったんです」

「俺はおまえの世話になるつもりなんてないね。いいか、世界は俺次第だ」

皇子は悪魔のような顔で笑った。その笑顔は何かを許す類のものではなかったけれど、何一つ分け隔てることがなかった。昏く冷たい光を放つその瞳は、アマネヒトの美しい表情に惑わされなかった。

そのもっと奥を見透かして、詩精の胎動を眺めていた。

そして、代理詩人は代理詩人ではなくなった。アマネヒトは書き始めた。何を？　彼の詩を。

その詩がどんなものか、君にはもう説明なんていらないだろう。ただ、彼が一番はじめの言葉を刻むより先にかけた電話について、教えておこう。

「ぼくは詩を書くよ」

「そう……うん、そう。そうよ。そうしてください」

元潮さんの声は、飛び出そうとする喜びを無理やり押さえつけているような気配があった。「私は待てる女になるの」と十八回目の改名をして「深川まてる」になった彼女は、お腹の膨らみとともに一時的な明るさを取り戻していた。

「それで、どんな詩を書くのかしら？　詩とは、計画して書くものじゃないだろうけれど」

「うん、ぼくはね、素晴らしい詩というのは、いつだって、誰か具体的な人に捧げられたものだと思うんです。ぼんやりと自分の気持ちを語っても、独り善がりなものにしかならない。そうでしょう？」

「ええ。そうよ、ほんとうにそう」と、まてるは感じ入ったように言った。「で、それって誰なの？　私？」

「残念ながら、違いますよ。これから、生まれてくる人です」

「アウレリャーノね！　それはとてもいいアイデアだわ！　うん、そう、本当にいいアイデア」

「でしょう？　ぼくは、アウレリャーノが生まれてくるまでに、長い詩を、書こうと思うんです」

「時間はあるのかしら？　ぼんやりしていると、すぐに生まれてきちゃうわよ」

「もうすぐに書き始めます。詩は未来のことについて語っていなくちゃ。アウレリャーノが生まれる瞬間までには、書き上げますよ」

「そう。頑張ってね、私の天使」

電話を切った、その瞬間から、アマネヒトの、詩作は、始まったんだ。

まてるのお腹が、六ヶ月になる頃、「それに、代理詩人の父は七十歳の禅僧で、歳若い母を手籠めにし、そのまま昇天した」と書いた。

七ヶ月になる頃には「横恋慕を悪と呼ぶことは簡単だ」と書いた。

九ヶ月目、「本物は、禁制品」と書いた。

アウレリャーノが腹を蹴る音が鳴った。


歳月が笑顔を浮かべ、形をなそうとしていた。

そして、まてるが病院に、担ぎ込まれた頃。
いきむ声が、分娩室から漏れてくる。
詩人はゆるむ頬をそのままに、ひたすら筆を走らせた。
思い出すのは難しい。
彼女はなんて言っただろう?
子供に対して父親の取り分は
普通預金の利息ぐらいのものよ
他にどんな言葉が生まれただろう?
不用意な改行と、読点が多くなった
余計なレトリックはもういらない
はじめに会ったら
なんて言おう

アウレリャーノ、君の声が聞こえてくるよ
とても元気がよさそうだ

男の子だろうか、女の子だろうか
普通は服を送って貰ったり
なんやかやと世間的な事情もあるから
聞いておくものらしいけどね
どっちだってかまやしないんだ
父親だって、どっちだってかまやしない
黙ってミイラになるような父親じゃない
それだけでもう充分だろう
おや、もう筆をおかなければならないようだ
今にも分娩室の扉が開いてしまう
アウレリャーノ、君の声が大きくなるよ
はじめに会ったら君に伝えよう
このクソッタレな世界へようこそ！

あとは君次第だよ

フェイタル・コネクション

サクヤハ、アリガトウ。

ワタクシノ、ソンザイテキニハ、ヤスッポイカンショウ、ニゲコウジツ、ノミ。

ジシンハ、ナニモシテオラズガ、「ハメツハ・ザッシ」、アリガタク、ヒバリノハカニ、ササゲテクルヨ。

オワカリノトウリ、ワタクシハ、モハヤ、

マツキショウジョウデ。コノアリサマデ、「アマガサキ」ニモドレバ、イキテ、カエルキガ、シナカッタ。キミニモ、マスマスト、メイワクヲカケタママ、シヌンダロウナァ、ト、カンガエテイタ。

ダガ、シカシ、サクヤ、キミトカイワヲシテ、キミガ、「アクタガワ・ショウ」ヲ、トルノヲミルマデ、シニタクナイナァ、ト、ケツイ、シマシタ。

マア、コレイジョウ、コトバヲ、ロウシテモ、ムイミ、デショウ。（タトエ、大ヤケドヲ、ユルシタトシテモ、）

ライシュウニハモドル。サイサン、サイシン、アリガトウ。

拝。（ハメツハ、バンザイ。）フタタビココヘ、最後は逆にコーランだよ、と呟いて、感人は言い返したような気になっているらしかった。

「でも、結局山谷で慈善事業やってるのって、キリスト教ぐらいじゃないですか？」

タカハシは言い返すつもりはなく率直に返事を返しただけだったが、一度でも反論の構えを取ると次の矢を構えずにいられない質だった。

「イスラム教ってあんまり見ないし、神社仏閣は中高年相手の商売ですよね。今日だって、炊き出しのお知らせ出してるのは、キリスト教会しかなかったじゃないですか」

ほんとうに、言い包めてやろうというつもりはない。「どの宗教がもっとも文学的に重要か」というテーマにも興味はなかった。カントは前髪の影に隠れるようにして俯きながらビールを煽った。焼き鳥屋が出したビールのコップは小さく、すぐに空になった。カントはコップを見つめ、ＫＩＲＩＮという文字をおまじないのように二度撫ぜた。

「炊き出しとか、そういう世俗的な意味とは違うんじゃないの。俺ぐらいアルやってるとさ、イスラム教のありがたみがわかるんだよ。酒なんてあんま飲むもんじゃないって」

言われたタカハシは、隣にいた悠太に、アルってなんですか、と尋ねた。聞かれた悠太は自信なさげに目をうろつかせてから、アルコールのことじゃねえの、と答えた。そして、言い訳めいた囁き声で、どう、こいつ面白いでしょ、と耳打ちした。タカハシは、はあ、と曖昧に同意しながら、カントを見た。カントはスーツを着ていたが、ワイシャツの襟元がひどく汚れていて、下着の黒いTシャツも透けていた。

「でも、コーランにはアルコールの禁止は明文化されてないはずですよ」

タカハシは終わりかけた会話を再開させた。それはまた反論の響きを持った。

「でもねえ、タカハシくん、大事なのはそこらへんの明文化されてないガチャガチャ感？　そうでもなきゃ、小説なんて書かないでしょ？」

「誰がですか？」

「そりゃ、決まってるでしょう？」

カントはそう言うと、立てた片膝に肘を乗せ、親指で自分を指した。カウンターに座ったニッカポッカの男が、攻撃的な目で見ていた。なぜコーランのアルコールに関する記述が曖昧だという理由で、カントが小説を書かねばならないことになるのか。タカハシは説明を求めなかった。その病気めいた論理（ロジック）は、三十過ぎの小説家志望が掲げそうなものだった。

「最近の小説家って、カントくんみたいに酒飲んで夜更かしするイメージじゃなくて、朝早く起きて書くらしいですよ。意外とマジメなんですって。アーヴィングとか」

「マーウィン？」と、カントは不審な動きで身を乗り出した。「誰それ？　ロシア？」

「アメリカですよ」

「ああ、アメリカ。チャンドラーとかの一派でしょ」

タカハシは否定しようと思ったが、小説を書くには情報の正確性など必要なかったので、そこら辺です、とお茶を濁した。カントは満足げに笑った。危機を脱した、という安堵が口元の皺に覗いていた。

「しかし、タカハシくんも知ってるねえ。俺もチャンドラーはアルだからギリ読んでるけど、かなりマニアックだよ。書いてるでしょ？　小説」

「別に書いてないですよ。ねえ？」

タカハシが隣に座った悠太に訪ねると、そうだよ、という笑いが帰ってきた。

「タカハシは単に調べものが好きなんだよ。俺も、論文書くときに足立区と港区のペットの犬種の違いを調べてもらったことあるぜ。ボツだったけど」

「あ、あれボツになっちゃったんですか」

悠太はタカハシの肩に手を置き、ごめぇん、と甘えた。

「勿体ないねえ」とカントは腕を組んだ。「タカハシくんが書いてれば、俺と二人で太宰と安吾風にブイブイ言わせられたのに。なんで書かないの？」

「なんでって……書かないのに理由なんてあるんですか？　カントくんだって、理由があって書いてるわけじゃないでしょ？」

「俺の場合、十八でロックするために東京に出てきて、それから小説書くようになったんだよね」

「あ、音楽に挫折して、小説に変更したんだ」

タカハシは思ったことをそのまま言った。カウンターで飲んでいた男が、挑む目つきでこちらを見た。さっきから、この席の会話を気にしているようだった。なにかが挑発的なのかもしれなかった。それが自分なのか、それともカントなのかはわからなかった。

カントはアルコールが喉を刺す痛みを堪えるような顔をして、いや、ヒバリが死ぬのを見てさ、と話し始めた。

ヒバリというのは、カントが十八の時分に長崎から一緒に上京してきた親友だという。上京を機に、今日から俺は小柴雲雀（ヒバリ）な、と改名宣言したらしい。太宰治の『パンドラの匣』の登場人物名を唐突に名乗るぐらいだから、カントが太宰に傾倒するようになったのも、しょうがないことだったそうだ。そのヒバリは重度のアル中で、二十七の若さで死んだ。死ぬまでに幾度も行われた手術のせいで、ヒバリの遺体はパッチワークのようになっていたらしい。

「晩年のヒバリはヤバかったよ」と、カントは思い出し笑いを浮かべながらいった。「ずっと同じ曲ばっかり聴いてた。壁にはＧＡＯの『サヨナラ』が三枚も飾ってあったからね。エイメン」

胸の前で十字を切るカントを見て、タカハシは思わず笑った。悠太がすかさず、ね、この話、ウケるっしょ、と突っ込んだ。

「懐かしいですね、ＧＡＯって」

「しかも、そのＣＤって、昔のシングルだからさ、あの細長いヤツなんだよね。いやあ、あいつもレイナード・スキナードみたいな泥臭い南部(サザン)ロックを志して上京したのに、最後はＧＡＯだったからね」

笑うカントを、タカハシは偉いと思った。親友が死んだ話を笑ってできるメンタリティがどんなものか、タカハシがこれまで生きた時間は教えてくれなかった。

焼き鳥屋を出ると、打ち解けるにはうってつけの時間が過ぎていた。すっかり上機嫌になったカントが山谷の町を案内してくれた。東京にもスラムがあると聞き、前々から行ってみたいと思っていた街だったが、想像以上の感慨をもたらした。すれ違う女は強姦を恐れて道の端まで避けて走り、三十秒に一度ほどパトカーのサイレンが聞こえてくる。路傍に座る男が突然声をかけてきて、パチンコで負けたと悔しがっては金をせびる。悠太は、これネタになるでしょ、と呟いた。

「フィールドワークを論文にまとめて新書として売り込めば、出版されるんじゃないですか」

「そうだよ、ギャグみたいだろ?」

そう応じた悠太は、人生が、と付け加えた。年末の寒い時節だった。吐く息は白く、なにがしかの深刻さがその顔に宿っていた。悠太も大学院に落ち続けたまま二十八歳になり、追いつめられていた。博士研究員(ポスドク)はおろか、大学院にさえ受かっていなかった。タカハシはその事態の深刻さを感じ取った。が、感じ取っただけだった。まだ何者でもなく、何者にもなろうとしていないというのに、その深刻さを共有することはできなかった。

「この先のさ、労働出張所ってところに、俺の知り合いのルンペンがいるから」と、先頭を歩いていたカントが振り向いて言った。「ちょっと会ってこうよ」

「お、来たねえ。ボスキャラ登場じゃん」

悠太が答えた。

「ある意味、この町のボスだからねえ。自称だけど」

「でも、大丈夫なんですか。そんな人に会って。ヤクザとかじゃないんですか」

「まあ、タカハシくん、心配しないでよ。俺も一時期都落ちして浜松に住んでたころは、下手に自警団気取ってて、ブラジル人引き連れてたからね」

「なんですか、自警団って」

「夜中にさ、竹刀持ってパトロールするんだよ、街を。俺、剣道やってたからねえ、あんときは凄かったよ。ガイジンってさ、必要以上に武道を恐れるからね。俺が今回東京に出てくるとき、全員浜松駅で敬礼して見送ってたからね」

タカハシは思わず疑う目をした。カントはせいぜい中背といったところで、身体の線は細い。とてもブラジル人を率いていそうには見えなかった。

「カント！　それ小説に書けるよ」

悠太は夜のスラム街で大の字になってはしゃいだ。都営住宅のベランダから、人影が見下ろしていた。とかくリアクションの大きな男だった。タカハシは彼が社会学の研究者としてより、お笑い芸人として大成するのではないかと密かに思っていた。

「まあ、見ればわかるからさ。いざとなったら、俺が盾になって二人を守るよ。刺せオラー、ってね」

カントは両手を広げて腰を振った。刺せ、オラー！　哄笑が壁に当たって虚勢になった。玉姫保育園にぐるりと巡らされた高い壁には、園児たちの描いた絵に落書がされていた。闇夜の中だったから、水色の地色で醜悪に浮き立った。

保育園の裏手にある労働出張所の軒下で、初老のホームレスに会い、手土産として持って行ったワンカップを渡した。ホームレスはワルだった昔の話をしながら、ワンカップを一息で飲み干した。ものの三秒とかからずに飲み干すと、カントが負けていられないと同じペースで飲み干した。アルコールについてだけは譲れないようだった。親友を殺したものに魅せられているのか。口の端から日本酒の雫を滴らしてワンカップを煽るカントは、どう控えめに見ても社会不適合者だったが、ある種、文学者としての凄みを秘めているようにも見えた。

意地の張り合いがエスカレートして、大袈裟に買い込んだ二十本のワンカップはすべて空になってしまった。そこら中に瓶が転がり、日本酒の甘い匂いが立ち込めていた。ホームレスの話はどんどん怪しくなり、しまいには元警察官だったのか、元ヤクザだったのか、設定が行方不明になってしまった。タカハシは、ヤクザもマフィアも始まりは自警団だったんですよね、と薀蓄を垂れ、話を合わせようとしたが、ホームレスはただひたすら拳銃を撃つときの心得——肘を抑えて下を狙え！——を繰り返すだけだった。

鯨飲して気が大きくなったらしいカントは、酔い潰れたそのホームレスを段ボールハウスに手荒く押し込むと、おぼつかない足取りで、酔いどれ天使！ と叫びながら、さらに歩き出した。

「次、どこに行くんですか」

タカハシが尋ねると、カントは肩を組んできた。

「敬語はやめようぜ、兄弟」

吐息に揮発したアルコールが混じっていた。この男はそう遠くないうちに死ぬな、という暗いひらめきがタカハシを打った。そして、カントが、教会に行こう、と言ったことで、その確信はますます強まった。

教会といっても普通の一軒家で、居間では宿無しらしい男たちがモソモソと食事を取っていた。伏し目勝ちで、酔客を一瞥さえしなかった。泥酔していて失礼じゃないかと危惧したが、カントも知らない顔ではないらしく、静かに受け入れられた。カントは再びコーランに関する話を蒸し返したが、タカハシにはなにを言っているのか上手く聞き取れなかった。机の上にあるチゲの煮込みには、冷えた油が白く固まっていた。ときおり、炊き出しを食べる男たちがちらりとこちらを見ているのがわかった。だが、彼らは決して話しかけようとはしなかった。それがひどく居辛くさせた。

「カント、もう行かねえ？　迷惑だし」

興ざめしたらしい悠太が言った。仰向けにひっくり返ってキリストを罵っていたカントは、む、あ、と起き上がった。片目が充血していた。起きざまにその目を激しくこすったせいで、ますます赤くなった。

もう帰ろう、ということになっていたのだが、カントは最後に自分が泊まっているドヤを見せると言いはった。タカハシも悠太もこれ以上何かを見たいとは思わなかったのだが、念を押すカントに根負けした。知識を増やすことにだけ喜びを感じるタカハシも、社会学の研究をしている悠太も、スラムのドヤ――宿をひっくり返した日雇い労働者の隠語――を見たくないといえば嘘になる。それに、これから一緒に住むことになるカントが、これまでどんなところに住んでいたのかは知っておくべきだった。

カントが泊まっているドヤは、泪橋交差点からすぐのところにあった。一泊二四〇〇円だが、この界隈では安くないという。三畳間に置かれたベッドに、三人で横並びに座った。枕元の棚には谷崎潤一郎全集の六巻と岩波文庫のコーランが置かれていて、一番上にニコちゃんマークの灰皿があった。テレビにはスポーツタオルがかけられていて、もしかしたら執筆の邪魔にならないよう見えなくしているのかもしれなかった。

三人はひとしきり家賃や部屋割りについて話し合った。一人三万二千円を払うことで、八万円の家賃と、高熱費その他に充てることになった。タカハシはその家賃であの部屋に住めることのメリットをまくしたてた。家賃に含まれる朝日新聞・固定電話・インターネットADSL接続、風呂トイレ別、追い焚き可能なバランス釜、はじめから付いている家具、各部屋についたエアコン、南向きの大きなベランダ、そこからは教会の十字架と、春には桜が見える……。タカハシが嬉々としてまくし立てていると、一人カントは急に黙り込み、俯いた。

「泣いてるんですか?」

「いや、違うよ」

カントはそう言うと、ズボンの太腿あたりで手を拭い、握手を求めた。

「よろしく頼むよ、兄弟」

「うん、よろしく」

タカハシはその手を握った。兄弟、という言い方には無断で背筋を撫で回される不快なむずがゆさがあった。


カントと同居することに決まってから、なんでそんな変な奴と、と不思議がる声は聞かれたし、当のカントも、よく俺みたいな輩と一緒に住もうと決めたねえ、と居間のソファにふんぞり返って感心した。

「タカハシは変な奴への耐性が強いからさ」と、悠太が注釈を入れた。「俺がここに来る前に住んでた丸毛くんも、すげえ変わってたよ。丸毛くんも太宰好きだったんだって？」

「ああ、聞いたよ。俺、一回だけ会ったことあるけど」

「好きだったよ」と、タカハシは答えた。「工学部だったけど、俺より文学詳しかったから」

「超エリートだったんだぜ」と、悠太がさらに注釈を入れた。「偏差値八〇ぐらいあったんだってさ」

「凄いねえ、それ。逆にアホなんじゃないかってぐらいだねえ。タカハシくんもいるし、俺、乞食同然だから、申し訳なくて土下座しちゃうよ」

「カント、俺の気持ちがわかったろ？」

「まあねえ。プレッシャーが凄いよ」

「あ、そうなんだ」

タカハシは同居人である悠太の発言を聞き、そこまで不快な思いをさせていたのかと心配になった。

「いや、いい意味でだよ？」と、カントがすぐにかぶせる。「俺みたいなゴミは、プレッシャーがないと、小説、書かないからね。でも、タカハシくんも、俺やら、悠太やら、丸毛くんとやらじゃなくってさ、もっとまともな人間と住めたんじゃないの？　天下の帝大を卒業してるんだから」

「でも、同級生でまっとうに生きてる奴はたくさん金貰ってるから、生活レベルが合わないんだよ。ルームシェアって言っても、一人十万ずつ出して、代官山に住むとか、そういうブルジョワ的なアイデアしか出てこないから」

「いや、そうじゃなくてさ」と、カントが反論しようと不安げに身を乗り出したところ、悠太がかぶせた。「カントが言いたいのは、タカハシだったら、自分で稼いでいい所に住めるってことだろ？」

「そうそう」と、カントは浮かせた腰をソファに沈めた。「タカハシくんなら、六本木ヒルズあたりに住もうと思えば、住めたんじゃないの？　こんな、北千住のボロマンションじゃなくてさ」

「いや、金儲けっていうのは、独得の嗅覚が必要だよ。アメリカの二千万プレイヤーは、週に九十時間ぐらい働くらしいからね。俺はせいぜい三十時間が限度だよ」

タカハシがそう言うと、カントと悠太は、でもねえ、といった具合に顔を見合わせた。しかし、タカハシはありもしない儲け話よりも、この部屋のことで頭が塞がっていた。

「でも、そんなボロいかな？　築二十年だけど、ちゃんと掃除してるし」

「いや、もちろん、いい意味でだよ？」と、カントは反論を恐れたのか、急に饒舌になった。「タカハシくんの掃除は完璧だしねえ。俺からしたら、お城に住んでるみたいな気分だけどさ、そこは敢えて言うけど、タカハシ君には門番がいるような家が似合うんじゃないかと」

カントに尋ねられ、タカハシは黙り込んだ。よく聞かれることだったが、いまだ明白な答えはなかった。

以前に同居していた丸毛は、タカハシを中産遊民と呼んだ。極度に飽きっぽく、好奇心と整理欲以外の欲望をほとんど持っていなかった。「調べる」と「整頓する」という二つの動詞が、彼の生活を支配していた。その二つの欲は、中産階級出の彼を東大には受からせたが、金持ちにはしなかった。一番好きな場所は、図書館やインターネット・フォーラムだった。日本十進分類法によって並べられた書架や、優秀な情報設計者によってカテゴリ分けされたトピックスは、タカハシの欲望を激しく刺激した。平日にフラフラと図書館に行ったり、ネットサーフィンをし続けるためには、固定費である家賃を極力切り詰め、働く時間を少しでも少なくしなければならなかった。タカハシは月に七日しか働かず、収入はわずかに十万円だったが、それで特に不満ということもなかった。

「俺って極度に飽きっぽいから、普通の仕事が続かないんだよね」と、タカハシはカントに答えた。

「貧乏でも特に困ったことないし」

「そうかなあ、なんでだろうねえ」

「俺もそこが不思議なんだよなあ」と、悠太が言った。「いっつもなんか調べものしてるじゃん。普通、目標がなきゃ、そこまでできねえと思うんだけど。お前なら大学院ぐらい受かるだろ」

「調べ物してると楽しいじゃないですか。それだけですよ。その都度、小さな目標を見つけて生きてますよ。来年はもう二十八だけど」

「ときにタカハシくん」

カントはそう言うと、腕を組んで黙り込んだ。発言を待っても返ってこないので、悠太と二人でじりじりしていると、カントの顔に人を見透かした笑みが浮かんだ。

「本当に書いてないのかい？　小説」

「書いてないよ」

なんだ、という落胆と共に、タカハシは答えた。もっと調べ甲斐のある質問が来るのかと思っていた。

「ほんとかい？」と、カントは前髪の下から覗き込むように訝った。「タカハシくんは仏文科だったよね。東京帝大の仏文科といえば、太宰が出てるわけだし、逆に、文学の志があったんじゃゃ？」

「文学は好きだよ。東大って進学先を選べるから。本当は経済学部に行こうと思ってたんだけど、前の同居人だった丸毛が太宰好きだからお前が俺の代わりに行ってくれって頼まれて、フランス文学科に行ったんだよ。まあ、理系の丸毛でも文転っていう制度を使えば仏文に行けたんだから、代わりの意味もよくわからないいんだけど」

「じゃあ、フランス文学にはかなり詳しいんだね」

「文学だけを勉強してたわけじゃないけどね。毎日フラフラと、気の向くままに調べ物してたよ」

「調べ物って、なにを？」

「そうだね」と、タカハシは大学の情報棟に立ち込めていたパソコンの排気の匂いを甘やかに回想しながら答えた。「丸毛と一緒に、神経とネットワークの接続に関する研究が、世界的にどれだけ進んでいるか調べてた時は熱かったなあ。丸毛は畑違いだったけど、理系だったから詳しくて助かったよ」

「ちょっと、それ、文学とぜんぜん関係ないじゃん！」

「まあ、遊んでたようなもんだよ」

そう言いながら、大学時代のタカハシは大真面目に勉強していたつもりだった。生来のグロテスクなマジメさを発揮して、ジャンル横断的かつ体系的に書物を渉猟した。弁論術や民俗学、天体物理に家政学と、すべての学問に手を出し、ついに何一つ身につけることなく大学を卒業した。潰しの利かない変り種の多かった仏文科ではあったが、タカハシの向こう見ずな人生設計は周囲をやきもきさせ、とりわけ彼の将来に「末は博士か大臣か」式の純朴な期待をしていた親戚一同の落胆は大きかった。就職もせず、アルバイトだけで食いつなぎ、何をしているかというと、「出現可能性のあるメディア形態とそれに応じた人間意識の変容性」とか、「経済交換におけるミスマッチを減らして永久機関的な経済を設立する不偏経済学」などという壮大な問題の調査ばかりしている彼は、学歴社会のユダであった。タカハシからすれば自分こそが学問の王道を歩んでいるという確信があったのだが、誰にも理解されないので言わないことにしていた。

「まあ、東大に入ることと社会的な成功は必ずしも比例しないよ。丸毛もそうだったし」

「丸毛くんは小説書いてないの？」

「書いてたけど、大学四年の頃に断筆宣言して、普通に就職したよ。村田製作所っていうメーカーに」

「どこそこ？　凄いの？」

「電子部品の最大手だよ。パソコンの部品で世界シェアの半分とか、それなりの電子機器の中には大体入ってるようなメーカー」と、タカハシはカントの無知に驚きながらも答えた。「丸毛は変わった奴だったけど、話とか面白かったし成績も優秀だったから、普通に内定を勝ち取ってたよ」

「凄いねえ。俺らみたいな凡人がする就職とは、全然違うねえ。殿上人の就職だよ。俺の地元のダチとかは、そういうメーカーの下請け工場に就職できたら、八つ墓村みたいにハチマキ巻いてバンザイ三唱だからねえ」

カントが腕を組み、再び自虐へと溺れそうになると、悠太が励ますように肩を叩いた。

「でもさ、丸毛くんの会社の辞め方、すごいぜ。これ、小説のネタになるからさ、聞かせてもらえよ」

「いいねえ、聞かせてよ」

「いいけど、どっちがネタとして使うかは、話し合って決めてくださいね」

あらたまって言われると、少し得意にならないではなかった。これまで、タカハシは丸毛の話をして、驚かれなかったことは一度もなかった。

「まず、丸毛はさっき言ったとおり、ものすごい勉強できる奴だったんだよ。大学でもトップの成績で、しかも授業をほとんど出ないでそれだから。理系だとどうしても出席しないと点がつかない授業も多いんだけど、それでもほとんど授業に出ないで高得点とってた。高校生のときにフランスにも一年留学してたから、フランス語もできたよ。それこそ、仏文科の俺より」

　カントが、やるねえ、と嘆息した。

「で、就職なんて、試験と大して変わんないじゃん。だもんで、いいとこの内定取ったわけなんだけど、なんか、一年目の研修でシンガポールか何かに行ったら、現地でオールディシ（hors d'ici）症候群を発症したとかいって遁走しちゃったんだよ」

「なに?」と、カントが尋ねた。「オールドなんだって?」

「フランス語で『ここではないどこか症候群』って意味。丸毛が考えた病気なんで、知らないのが当たり前だよね。俺もしばらくそういう病気がホントにあるって信じてたけど、調べたら存在しないみたい。とにかく、発症すると全身に蕁麻疹が出てきて、痒くてたまらない。それこそ、いてもたってても。で、移動すると治まるらしい」

「凄いねえ。エリートのかかる病気は凡人と違うねえ」と、カントが言った。「それで遁走してどうしたの」

「帰りの飛行機の搭乗時刻にも現れなくて、捜索願やなにやらで周囲が大騒ぎをして。俺のとこにも警察から電話かかってきたし。で、一週間後だったかな、パリのネットカフェから『もう辞めます』っていうメールを上司に送りつけたんだって。なぜか俺にもCCで送りつけてきたよ」

「パリ？」

「そう。研修先のシンガポールから勝手に国際線に乗ってパリに行っちゃったんだよ」

「なんでパリなの？」

「だって、俺にフランス文学科行けっていったぐらいだから。パリは聖地でしょ」

悠太が爆笑し、カントこのネタ小説に書けるよギャグだよ、と叫んだ。カントもまた、書けるねえ、と同意した。

「で、丸毛が僕を誘って、ここに住むことにしたんですよ。実家帰りたくないから、一緒に住んで家賃を節約しようって」

「丸毛くんは何してたの？」

「はじめは弁護士になるって言ってたんだけど、次に司法書士、行政書士ってだんだん変えていって、結局一回も試験受けなかったよ。通信教育のテキストもわんさか届いたけど、全部未開封のまんまで。俺が資源ゴミに出したときに、新品すぎて指切ったから。その後はなんか、税理士事務所にバイトで入ったけど、研修二週間で辞めちゃったよ。なんか領収書なくして怒られた瞬間に辞表を書いたんだって」

「な、カント、これ絶対書けるだろ！　鉄板のネタだろ、コレ」

「たしかに、これは凄いねえ。俺も駄目ガンジーって言われてきたけど、そこまでの駄目エリートは聞いたことないよ」

「まあ、結局なにも身に付けないで実家の岐阜に帰ったけどね。最後はなぜか、俺が悪いことになってたよ」

「その気持ちはわかるよ」と、カントが言った。「俺も晩年のヒバリとはメチャクチャ仲悪かったからねえ。世界がそこだけになっちゃうんだよ」

「みたいだね。自分の分の昼飯作ってたら、ズルいぞとか怒られたし。なんで俺のを作らないんだって。ありえない被害妄想だったよ」

「まあ、タカハシくんもそういう経緯なら、俺みたいな奴と住むのも抵抗ないだろうねえ。悠太もあまり人見知りしないし」

「あれ、悠太さんとは前から知り合いだったんじゃないの？」

タカハシが尋ねると、悠太とカントは顔を見合わせ、いや、と答えた。この間に山谷で飲んだのが二回目だという。悠太がフィールドワークのネタを求めて、誰か面白い奴はいないか、と尋ねまわった結果、パチンコ屋で馴染みになったあの焼き鳥屋のマスターに紹介されたのがカントだった。カントが悠太と知り合ってから、この家に転がり込むまで、三週間ほどしか経っていなかったし、その繋がりもあるかなきかのものだった。

タカハシは少し考え込んだ。しかし、少ししか考えなかった。悠太だって二ヶ月の短期バイトで一緒だったという程度の仲で一緒に住み始めたのだから、大して変わらなかった。

「まあ、いいや。別に家賃払ってくれれば」

「家賃に関しては心配しないでよ。肝臓売ってでも払うからさ。俺のγ(ガンマ)・GTPは千五百超えてるけどね」

平日の真昼間に男三人で白いソファに腰をかけてそんな話をしていることを、タカハシは楽しいことだと思っていたから、彼女の山田が顔をしかめるのがよく理解できなかった。二年も付き合っているというのに一向に同棲が始まる気配もなく、彼女としての自分を差し置いて、丸毛やら悠太やらカントやら、ケッタイな男ばかりが転がり込んでくる。タカハシと山田が寝る布団はシングルなのに、居間には二人がけのソファが二脚もある。風呂場の脱衣所にあるラックは三段だが、上からタカハシ用、悠太用、カント用で、山田が化粧品を置くスペースはない。トイレには生理用品を置く隙間がないほどトイレットペーパーの束が並び、ほんの少しの隙間があっても、尿石を強力に溶かす洗浄剤が詰められている。この部屋に、自分の居場所はない――山田はそう主張した。が、山田は彼女だった。

タカハシと同居人の生活はきっちりと区分されていたが、山田はタカハシの生活空間を自由に使うことができる。それはいいことじゃないか——タカハシは何度か説明したが、理解してもらえなかった。

怒りの表情も作らずに、タカハシの部屋でふるふると布団に包まっていた。山田は滅多にタカハシの部屋から出なかった。トイレと風呂ぐらいだった。食事でさえ、居間のコーヒーテーブルではなく、タカハシが作ったものをタカハシの部屋に持ってきて、床で食べた。こういうとき、タカハシは、この間取りで合ってるじゃないか、と思った。


宇田川ビルの四〇一号室はもともと丸毛と二人で住み始めた部屋だったから、間取りは2DKだった。洋室と和室は繋がっておらず、居間から入るようになっていた。タカハシはカントがこの部屋に来ると決まってから、詳細な間取り図を引いていた。七畳ある居間には、ソファやらコーヒーテーブルやら、様々なものが詰まっていたが、それをなんとかレイアウトして、カント用のスペースを作る予定だった。将来的な計画では、カントが寝るための空間をパーテーションで区切ることになっていた。が、カントは悠太の部屋に住むことになった。

男二人で同じ六畳間に生活していたら殺し合いに発展しかねない、とは転がり込んできたカントの言だ。俺もヒバリと住んでた頃は四六時中お互いを殺すことばかり考えてたからねえ、密室トリックならいつでも思いつくよ、と危惧したのだが、悠太の方が大丈夫だと言い張った。カントの荷物はスーツケース一つと竹刀一本だったから、無理のないことではなかった。タカハシは自分が持っていたもう一組の布団をカントに貸した。

本人の言い出したことだからと、悠太の自主性を尊重してみたのだが、山田と一年ぐらいコツコツ二人でお金を貯めて実現させたオーストラリア一ヶ月の旅から帰ってみると、悠太はいなくなっていた。部屋には縄張りを広げたカントが大の字になっていて、お土産のカンガルー・ジャーキーを渡すと、悠太、実家に帰ったよ、と平然と言ってのけた。前の同居人の丸毛もかなり唐突に出て行ったから、同居人がいなくなったという事件そのものには驚かなかった。それよりも、出て行くにあたってはそれなりに話し合いの場が持たれるのが普通だと思っていたから、同居人が突然いなくなることが二度連続だったことに面喰らった。何かが悪いのかもしれなかったが、その正体は漠として見えないため、とりあえず目の前の問題を片付けてしまおうと、三日後に迫っていた家賃の督促メールを悠太に送った。返信はすぐにあった。

「まあ、悠太にも色々言い分はあるからさ」

悠太から届いたメールの返信を眺めて呆然としているタカハシに向けて、カントが注釈を入れた。タカハシはメールに書いてある文面をよく理解できなかった。

やっぱりな。そうきたか。

俺を見るとき、目が$マークになってたよ。俺をこの部屋に誘ったのも、家賃を節約するためぐらいにしか思ってなかったんだろ?

おまえはそうやって、他人を自分のために都合よく利用することしか考えてないんだよ。家事をやってやったとか言うなよ。俺は一回も頼んでないぜ。

いつか、俺が鍋料理作ったとき、タッパに移してレンジで温めろとか言ったよな。俺はメンドクさかったから、そのまま鍋に入れっぱなしにして、ガスで何度も温めた。そのせいで、鍋に焦げがついた。あのとき、なんでおまえは黙ったまま、アルミたわしで焦げを落とした? シャリシャリいう音が聞こえてたんだよ。なんで一言、「焦げがつくから」って言わない? 俺だって馬鹿じゃないんだよ。

おまえは、他人を馬鹿にしてるんだよ。もう耐えられない。

「まあ、そういう風に思うというのはわからないでもないんだけど……」と、タカハシはメールの文字サイズを最大にして、なんとかその意味を汲み取ろうとした。「この、最終的に俺が悪いという結論になるのは、なんでなの？　他人と住んでると研究が捗らなくて、ストレスが溜まるのかな？」

「いや、タカハシくん、それは違うよ。逆に、ハハーっと思ってるからこそ、だよ」

なにがどうなって、「逆に、ハハーっと」なのか。なにが他人に嫌味ったらしい土下座をさせうるのか、タカハシにはまったく心当たりがなかった。

「俺もだてに駄目ガンジーと呼ばれてないからさ。悠太の気持ちは十分わかるよ」

丸毛もこの部屋を出て行くときに、タカハシの無神経さを指弾する檄文を残していった。生活にまつわる七面倒くさい一切合財をほとんど引き受けながら、タカハシは非難され、しかもそれが三票。なんなんだこの共感は、という厭世的な気分に捉われながらも、タカハシは一応自分にも非があったのかもしれないと、殊勝に反省した。

「鍋磨くのとかはともかく、ゴミ捨てや掃除、そういうのは悠太さんにとってはメリットでしかないと思うんだけど、余計なお世話だったのかな？」

「いや、それはそうだよ。もちろん、タカハシ君が捨ててくれなかったら、ここは逆にゴミ屋敷だったんじゃないの？　でも、あえて言うけど、そこが悠太のかわいいところでさ。ゴミ捨てしてもらって悪いな、と思った瞬間に、その罪悪感を捨てたくなるんだよ。太宰の言葉を借りれば、そんな恥知らずの事はもう言うな！　ってところだろうね」

恥知らずと言われてみると、さすがに衝撃的で、タカハシは自己弁護のための推論をいくつか積み上げた。

まず思い浮かんだのは、金銭的な理由だった。そして、タカハシは、なにかを思いつくと、それがそのまま真なりとなるように論を進める資だった。

悠太は大学院進学の志を捨てないために、タカハシと同じぐらいの頻度でしか働いていなかった。企業にとってみたら雇用調整の安全弁でしかない不安定な仕事に就き、月わずか十一万円の収入である。家賃が二人折半で四万円、水道光熱費が五千円、携帯電話代がおろかにも一万円、国民年金が一万三千五百円、保険やらなんやらで六千円、自炊をしなければ安く見積もっても食費が三万円……お小遣いが残るのは五千五百円。

短期バイトで出会ったあと、一番最初に遊びに行ったのが悠太の卒業した一橋大学国立キャンパスの学食だった。二浪して入った社会学部を二留して卒業した悠太は、大学院試験に二回落ちている。東大の社会学部へ志望を変えたそうだが、それも一回落ちている。タカハシは大学院のシステムをよく知らなかったが、東大には社会人学生もいたから、年齢による足切りのようなものはないのだろう。

ただ、現時点で悠太は大学卒業後キャリアを積むことなく二十八歳になろうとしている。早い人なら博士課程後期の終わりも見えてくる頃だ。実際、研究の内容というのもまとまった文章の形で見たことはなく、以前に論文誌に投稿したという話も、もしかしたら嘘なのかもしれなかった。悠太はシャワーを浴びている時に奇声を発することがたまにあった。

「なんだかんだいって、悠太さんも苦しかったのかな。生きて行くのが」

「いやあ、俺も彼の気持ちはわかるからさ、タカハシくんもあんまり悪く言わないでやってくれよ」

「悪くは言わないけど、最後の月、家賃払ってないでしょ。カントくんが来てから、三分の一になったのに」

「まあ、悠太もある意味駄々っ子だから。しかし、タカハシくん、敢えてそこは許してやってよ。タカハシくんにも、少しは原因があるし」

「やっぱり、何か原因があるのかな？」

「もちろん、逆の意味でね。悠太はこれだからさ」

カントはそういうと、揉み手をした。悠太が実際に揉み手をしたことなど一度もなかったが、カントの見立てではそうなのだという。自虐的なネタで笑いを取りに行くのは、粛々然と世界に対して頭を垂れて生きていることを意味するのではなく、己に許された「ダメ」という最後の刃を振りかざしているということらしかった。

「逆にね、ああいう奴の方がプライド高いからさ。タカハシくんもわりとプライド高い方だけど、逆に悠太の方がプライド高いからね」

自尊心に関するカントの持論を聞き、タカハシには腑に落ちるものがあった。悠太の実家は文京区の住宅街にある。詳細は知らないが、中小企業のオーナーである実家はけして貧しくはなく、ともすればボンボンの部類に属した。その悠太にとって、北千住の工場街のようなところで暮らすことは、零落を自ら引き受けることを意味する。恵まれている人間が社会学のフィールドワークを行うときの当事者性のなさ、つまり物見遊山的な感覚は東大の社会学部の教授に見抜かれているのかもしれなかった。創作が生活の破綻を要求するという私小説作家的な世界の住人であるカントにしてみれば、自分の出生に足を引っ張られる悠太に対する同情のようなものがあったのかもしれなかった。

「悠太さんも色々ジレンマあったのかもね」

「いや、そんなに大袈裟なものじゃないよ」

「違うの？」

「単に駄目人間だからでしょ。タカハシくんも、下手に帝大出てるから、そこらへんの機微はわかんないでしょ。こういう、ガッチャガチャな人間関係」

「いや、悠太さんも一橋出てるんだから大して変わらないでしょ」

「そこは逆にさ、一橋という学歴に拘泥しているだけと思うのが優しさでしょ」

カントは腕組みをしながら、聖職者のような顔をした。そうだと言われれば自分が悪いような気もした。カントが着ているスーツはくたびれて、次の秋を迎えるころには虫食いだらけになっていそうだった。悠太の分の家賃は、家主であるタカハシが払うことになった。


ともあれ、三人暮らしをするはずが、得体の知れない喧嘩別れになって、ガッチャガチャになった気持ち悪い人間関係が多少はシンプルになり、過ごしやすいといえばそうなのだが、掃除当番のタカハシは少しだけうんざりした。カントが寝る部屋は、悠太がいた頃よりもさらに汚れていった。畳には煙草の焦げ跡がつき、布団には信じがたい量のシミがあった。悠太がいた頃は布団にシーツを敷いていたのだが、カントは布団の上に直接寝た。布団も干さなかったし、無精者の習いとして、眠るまで酒を飲んでは、起き抜けに枕元のビール瓶を蹴っ飛ばして畳を汚した。風呂もあまり入らず、パジャマも持っていなかったから、布団の上に裸で寝て、念入りにベトつかせた。そうした数々の無頼を続けた結果、カントの部屋は汚物の聖域（サンクチュアリ）となった。

タカハシは布団のクリーニングを打診したが、カントは五千円の出費を惜しみ、逆に俺に合ってるよ、と言い張った。元はタカハシの布団だから、それなら自分でやるしかないと悲壮な決意をしたが、洗濯機には入りきらなかった。となると、浴槽で洗う以外に方法はない。一人では何だからと、遊びに来た山田を誘って、洗剤や漂白剤を混ぜたぬるま湯に布団を浸し、ジャブジャブと揉み洗いをした。五回も揉むと、風呂のお湯は真っ茶色になった。洗剤は泡立たず、界面活性力がすでになくなったようだった。腕まくりをして一緒に押していた山田は、おええ、と呟くと、シャワーで腕を洗い出した。

「ちょっと、こんな汚い人と一緒に住んでんの?」

山田はもう布団揉みを手伝うことなく風呂場に立ち尽くしていた。人が二人もいると、浴室はいかにも狭かった。山田の顔には汗に濡れた髪が束になって貼りつき、いかにも生活者といった風貌になっていた。

「風呂は三日に一遍ぐらい入るけどさ、シーツ敷かないからね。こうなるよ」

タカハシは風呂の栓を抜いた。茶色い水が浴室の床に溢れた。山田は再び、おええ、と言いながら、タカハシの肩を掴んでよじ登った。

「もうやだ! なにあの汚物! 人でさえない!」

山田は叫んだ。声の響きに応じて、天井に溜まっていた水滴が一滴落ちた。落ちた雫は汚水の濁流に飲み込まれた。タカハシは波紋がかき消される様をじっと見つめた。

「他の人じゃ駄目なの？　もうちょっと清潔な人、いるでしょ？」

「そうはいっても、この部屋に住むような知り合いってなかなかいないいないからなあ」

「私、こんなに汚くないよ！」

肩にしがみついたまま泣きべそをかく山田の言葉が震えていて、ああそうか、と思い出した。

「一緒に住むのは、もうちょっと先だよ」

はっと顔を上げ、山田は考える表情になった。普段はくっきりと美しい二重の瞼が、三重になっていた。タカハシの真意を汲みかねているようだった。

タカハシは悠太と住み始めた頃、山田にそれとなく詰問されたことがあった。いじけやすい性格だったから、率直に尋ねることはしないのだが、派遣の仕事でも地味に職責が上がり、今では単なるエクセルの入力だけではなく、アルバイトのシフト管理用のシートさえ作るようになった、月給は額面で二十五万を超える——などなど、自分と一緒に住むメリットを遠まわしに提案するのだが、タカハシは山田と一緒に住むことが丸毛や悠太との共生とはまったく違った意味を持つことを確信していた。

タカハシは好奇心と整理欲ばかりだったから、性欲はそれほど強くなく、女にモテたいとも思っていなかった。結婚するなら山田以外とは考えていなかった。しかし、自分の好きなこと——調査と整理——を続けるためには、計算され尽くした生活設計が必要であり、それによると、タカハシが週二回の労働で二十五万円を稼げるようになった頃か、現在二十四歳の山田が二十九歳になる頃が同棲のタイミングだった。

なぜそのタイミングが適切なのかという根拠を問われても、タカハシはきちんとした根拠を述べることができた。いったん説明を聞き終えると、山田は小憎らしいというようにじたばたと頭をかいてから、幾つか反論した。それに対してタカハシが補足説明をする。その繰り返しだった。

山田もまた、カントや悠太が尋ねたように、タカハシの収入が上がる可能性について尋ねた。しかし、タカハシは現在の生活スタイルを変えるつもりは毛頭なく、目下のところ、技術翻訳やライターのような高い技術を要する仕事をすることも稀にあったが、徹夜仕事や長い拘束を要さない適切なボリュームのものでなくてはならず、営業のための労力もかけるつもりはなかった。家にいるだけで適切なボリュームのフリー案件が迷い込んでくるためには、それなりの習熟が必要だが、焦って習熟することもしなかった。結果的に時間が必要であり、時が熟すれば、どんな職種であれ、それなりの収入を得られるようになるはずだった。

また、山田二十九歳時点を同棲のタイミングとしたのは、それが山田にとってのクリティカル・ポイントになるからだった。山田はそれなりに顔も整い、控えめに美人と分類することもできたから、常にタカハシ以外の男と一緒になるという選択肢も残されていた。しかし、仮に二十九歳以降になってから急に別れることになった場合、山田の女としての人生でこうむる損失は計り知れない。もちろん、結婚が人生のすべてではないが、二十九歳になった時点で同棲を始めてしまい、タカハシの山田に対する態度を固定してしまった方が、山田にとってわかりやすいはずだった。

タカハシの思い描く青写真では、収入面から見た同棲開始時点も、年齢面から見た同棲開始時点も、ほぼ同じ時期になるはずだった。だから、もし山田が本当に自分と添い遂げたいと思っているのなら、単に信じて待っていればいいだけだった。説明をすれば、山田は必ず、わかった、と頷いた。泣き腫らした目で、下唇を突き出して、子供のような同意の仕方だった。山田はおそらく、最後の「信じて待つ」という言葉だけ理解している。タカハシは想像した。そして、同棲とはいよいよとんでもないことだ、と警戒し、より入念に人生の計画を練るのだった。

「もう疲れたから、やんなくていい?」

浴槽のお湯を三回入れ替え、これからすすぎをするという段になって、山田が呟いた。心底疲れたという顔をしていた。

「いいよ。部屋で休んでなよ」

山田は軽く頷くと、亡霊のように俯いたまま、部屋へと戻った。タカハシはお湯を溜め、中に入れた布団を踏みしだいた。三度ほどすすぐと、泡は出なくなった。シミは消えなかったが、ねっとりとした匂いはなくなった。

取り出した布団を絞り切ることは難しかったから、そのまま干してしまうことにした。幸い、まだ陽は高かったし、数日は晴れが続く予報だった。びしょ濡れの布団を圧縮袋に包んで持ち上げると、凄まじい重さだった。難儀しながら居間と洋室を駆けぬけ、ベランダまで出ると、それを欄干にかけた。水がぼたぼたと下に落ちた。水に打たれたコンクリートは、黒く染まった。まるで、局地的に雨を降らせているようだった。

「見ろよ、すごい水だ」

タカハシは山田に話しかけた。山田は布団に包まったまま、一瞬だけ顔を覗かせた。大きな目が真っ赤に腫れていた。布団の中でふるふるとべそをかいていたようだが、タカハシはこれもよくなるための痛みと捨て置いた。


なんにせよ、問題は大家だった。カント入居のときに三人で住む旨は伝えてあったが、悠太が出て行ったことは告げないまま、時間が経過していた。悠太は契約書に名前を連ねていたから、書き換えが必須になる。かつて家を借りるというただそれだけの理由で不動産屋に小芝居を打ったことがあるタカハシにしてみれば、そうした契約書を巡るゴタゴタが煩わしかった。信用を得るという困難な作業を行わなければならないのである。これまでパジャマ同然の格好で平日の昼間に出かける姿を何度も見られていた。場合によっては、難色を示されるかもしれない。

「いや、タカハシくん、それは邪推だよ。これまで家賃滞納したことないんでしょ」

「一回もないよ」

「じゃあ、大丈夫だって、わざわざ更新しなくても。こっちはお客なんだから」

「いやどうだろう。とにかく、カントくん、更新料の半分渡してよ」

タカハシは、大丈夫だって、と呆れ笑いをするカントから四万円をふんだくると、すべての力を注ぎ込んで正統的な手続きを踏むことに決めた。住民票や保証人の印鑑などをかき集め、更新料八万円を用意し、それだけでは物足りず、上申書を書いた。A5サイズのインクジェットプリンタ対応箔入り和紙に整然と連ねられた媚は、独得の気持ち悪い外観をしていた。が、それもこれも、一体カントがどこから来たのかという決定的な問いを避けるための修辞だった。タカハシは一晩をかけて上申書を拵えると、一階に土建屋の事務所を構える大家を襲撃した。

大家は眼鏡をかけ、いかにも頑固な中年の管理職といった風貌をしていたが、考え考え話す風が値踏みするようにも見えた。しかも土建屋の親分だ、危機を見抜く力がないはずもない。最悪の場合、にじりよる大家に小一時間も問い詰められ、カントが何者なのかを改めて定義しなければならないことさえありえた。短いながら彼と屋根を同じくしてきたタカハシでさえ、彼の経歴が誤解を呼びやすいものだと知っていた。

「そんなに……変な人間じゃないですよ」

タカハシは同居人についての説明を五分ほどで話すと、そう遠慮がちに呟いた。蛇足が大家に不当な侮蔑を感じさせたのか、そりゃ変な奴だったら困るけどなあ、と、年来の労苦に凝り固まった唇が緩んだ。

「ええ、変な奴と一緒に住んで、一番困るのは僕ですから」

「まあ、それはそうだけどよ」

大家はひきずっていた足を止めて、腰を降ろした。タカハシが書いてきた上申書に手を伸ばす。

「まあ、これがはじめてというわけじゃないからな。前のニイちゃんも実家に帰っちまったろ」

「ええ、これまでも家賃は滞納しませんでしたし」

「うん、まあ、そうだな」

大家はタカハシの顔を一瞥して、それから上申書に視線を戻した。タカハシは自分から家賃の話を切り出したことで、惨めな気分になった。契約変更の交渉をしている間、大家は一度とて家賃の話をしなかった。焦点は家賃ではないかもしれなかった。家賃を滞納せずに払い続けるというのは、それだけで一つの才能である——という自負を持ったのは愚かだった。やはり、信用という得体の知れない通貨を必要とするのだ。タカハシは高度資本主義経済を手強く感じた。あんなに払うのが大変な家賃というものでさえ、信用とは兌換性がない。なにか、別のものが必要なのではないかと、考えを巡らせた。

「そいつは、前科者とかじゃねえんだろ？」

タカハシは反射的に、はい、と答えた。が、本当のところはわからなかった。カントの前科がないのかどうか、あらたまって聞いたことはない。

「いいよ。わかったよ」

「いいんですか？」

「ああ、いいよ。君だって、そんな危ない奴を連れ込んだりしねえだろ」

タカハシはいつの間にか信用という通貨を勝ち取っていたことに狂喜した。

「じゃあ、不動産屋に電話しとけばいいですかね？」

狂喜して急に計画屋になりだすタカハシだったが、大家は途端に打ち解けた態度を見せ始め、それもいいよ、と断った。

「エイブルだろ？　あそこ、手数料結構取るからな。そのまま住めよ」

「じゃあ、住民票とかだけ持ってきますね」

「いいよ、いらねえよ」

「ありがとうございます」

タカハシは大仕事を終え、心の底から人懐っこい気持ちに変わっていた。

「あの、上申書……返して貰ってってもいいですかね？」

「いいけど、なんでだよ」

「それ、結構書くの大変なんですよ。この先、どこかで使うかもしれないし」

「まあ、別に書かなくてもいいんだけどな」

ふうん、といった顔で大家は上申書を差し出した。タカハシは無礼になるのもかまわずに上申書をひったくると、一階にある大家の事務所を出て、四階まで一段抜かしで駆け上がった。リノリュームの階段はきゅきゅきゅっと鳴りながら、高揚感をもたらした。

部屋に辿り着くと、居間の白いソファにスーツをまとったカントが転がっていた。だいぶ髭が濃くなっていた。その見苦しさはすべての語彙をはねつけて、ソファの白の上で鈍く固まった。

「おお、どうだった！」

軽蔑の視線を跳ね飛ばして、カントが起き上がった。

「通ったよ。いいって。住民票とかもいらないってさ。更新料浮いたよ」

「そう、じゃあ、ロックしちゃおうか」

髭に覆われた口元に笑いが宿った。彼にとって決して少なくなかっただろう更新料四万円は、アルコールに消えることになりそうだった。

「どう、タカハシくん、今日は暇かい？」

「まあ、暇と言えば暇だけど……ちょっと調べたいことがあるからなあ」

「今日ぐらい、いいじゃないか。その調べ物は、絶対に今日じゃなきゃ駄目なのかい？」

夕方から飲むのは嫌だからだよ、と言おうとしてやめた。タカハシが何をして、どんな生活を送っているかということをカントは熟知していた。タカハシには、ある特定の期日までにしなければならないことなど、ほとんどなかった。

「まあ、無事に更新も住んだことだし、祝杯を上げようよ」

カントは笑い、ＬＡＲＫに火をつけた。煙を吐きながら、十八時はどう、と言うと、勝ち誇って煙を吐いた。

薄暗い部屋の中で黙々と本を読んでいると、コンコン、と声に出して扉を叩く音がした。先ほどから、扉の前でうろうろとしている気配がしていた。迷える子羊めいたその脅迫が、集中を許さない。

タカハシは読み差しの本を放り投げ、扉を開けた。そこにへばりついていたらしいカントが、きゃあ！　と叫びながらもんどり打って倒れた。

「そんなに叩かなくたってわかるよ」

少し強めの口調で言ってしまったと後悔したが、倒れこんだカントがオカマのようにケツを突き出しているのにイライラして、つい蹴りを入れた。蹴られてなお、ててて、おい！　俺、ゴミかい！　と嬉しそうに叫ぶ。

「カントくん、俺もそんなに暇じゃないんだからさ」

「まあ、それは重々承知だよ。しかしねえ、俺もこうして、この家の住人になれたわけだし。ある意味、合法的にね。しかも、更新料が浮いたしさ」

「取っときなよ。どうせ貯金も大して無いんだから」

「いやあ、そこは逆にパーッと行こうよ。今夜は記念すべきパーティだからさ」

かれこれ二ヶ月一緒に住んでいても、ただの飲み会を「パーティ」という言葉で呼べるカントのことが不思議でならない。タカハシはなかば諦めに似た気持ちで着替えた。

どうせ近場だからと、部屋着のスウェットに、下だけジーパンという格好で出かけてみたのだが、それがふさわしいのは二十一時までだった。和民でお通しをキャンセルし、一番安い鏡月のボトル、

「水をください、ただし水道水で」という注文で安く抑えようとしていたまではよかったが、アルコールが入ってしまうと歯止めが利かなくなった。二件目にはキャバクラに行きたがり、しかも場所柄悪く、二人の住む北千住はかつての歓楽街だった。周囲には場末感漂うキャバクラがあり、戦後のパンパンの末裔を思わせる白塗りの老婆が、古色蒼然と立ちんぼをしていた。

「まあ、ここはあえて小三十分ほど、売女どもと戯れようよ。太宰と安吾的にさ」

そう言った数秒後、カントはすでにポン引きと激しい値段交渉をしていた。指名料込み、九十分で二名、一万五千円、乾き物つき。火曜日ということもあって、ポン引きは劣勢だった。

店に入れば入ったで、鏡月を空けて麻痺した喉でウィスキーの水割りをがぶがぶと飲む。俺達は文士だ、とタカハシを道連れにして、気づけば三時間が経った。黒服が跪いて、お客さん、ここまでていただいたので、あとこれだけでラストまで！　と人差し指を二本立てた。

これまで散々キャバクラ嬢に、なんの仕事してるんですか？　ときわどい質問をされ続けたカントは、スーツの内ポケットから財布を出すと、ペロリと指を湿らせた。

「あれ、ねえや」

二の句が出ないうちに、タカハシくうん、と甘えた声を出した。

「やだよ、帰ろうよ」

「まあ、今夜だけはいいじゃないか」

「今夜だけじゃないいんじゃん」

　そういいながら、タカハシはすでに財布が入ったポケットのある尻の右側を浮かせていた。山谷で会った時も、一緒に住んでからも、カントは奢ってくれた。テレアポのバイトを週五日では大して稼げるはずもなく、三十万もいかない。しかも毎月消費者金融に六万円を返さなくてはいけないというのに、今日だってこれまで三時間も奢ってもらったのだ。浮いた更新料から出しているし、単にだらしないだけだと言い捨てることはできた。しかし、タカハシと時間を過ごすただそれだけのために、すべての金を使い果たした。合理性を追求しても、信用は勝ち得ない。タカハシが自分の取り分である四万円をそっくり残しておくのは罪悪のように思われた。

「わかったよ」

　タカハシは尻ポケットの財布を取り、一万円札を二枚差し出した。黒服はかしずきながら受け取った金をあっという間に持ち去った。

　それから店が閉まるまでのわずか二時間、カントはにわかにふて腐れ始め、キャバクラ嬢に、ホテル行こうよ、と口説きまくった。なにかが面倒になってしまったようだった。それで「はい」と頷く女があるはずもなく、ただひたすら気不味い空気が場末のキャバクラに流れていた。これまで何度もあっただろうことが今夜もまたあったのだと思うと、その成長しなさが偉大な反復にさえ感じられた。

店を出て、更新したばかりの四〇一号室に戻ると、カントは吸っている煙草の灰をぱらぱらとフローリングに落としながら、あの売女ぁ、と毒づいた。

四〇一号室には生活に必要なものがほとんど揃っていたが、タカハシにはまだ買わなければならないものがあった。本棚である。

二年前に丸毛と同居を始めたときは、彼の父親に敷金・礼金・手数料の一切合財を借りた上に、「出世払い」の意味がよくわからず、自分のよく知らない人が自分に対して債権を持っている複雑な状況がいかにも彼の整理欲に反したので、律儀に毎月二万円返し続けた。といって、週に三日も働かない。本棚を買う資金はなかなかできなかった。

もっとも、カントと行ったキャバクラで更新料の半分である二万円を使ってしまわなければ、最後の家財である本棚を買うことはできた。本棚さえあれば、雪崩れ落ちる本を積み直すことに気を取られず、気が向いたときに好きな本を取ることができた。好奇心と整理欲を糧に生きるタカハシにとって、本棚購入の延期は人生の延期だった。

タカハシは整然と計画立てて生きるのが好きだったが、例外が起きてもあまり慌てなかった。フランス製エスプレッソマシーンの説明書を翻訳した収入が振り込まれるまで、何度も本を積みなおしながら、じっと待った。

そうした事情を知ってか知らずか、本棚が届くという日、カントはひどく苦りきって、手伝うよ、とドアを叩いた。

「いいけど、まだ来ないよ。午後の便だからさ」

「ああ、そうかい」

カントはそういうと、遠くを見ながら何か考えている風だった。

「しかし、あれだね、タカハシくんも、俺の駄目さにめげず、よくがんばるね」

「もう慣れたからね」

「そう言うなよ。俺もさ、駄目ガンジーと言われてきたけど、君みたいに懐の深い男は見たことないよ」

「うん、俺もカントくんぐらい駄目な人間、見たことないよ。こないだ、キャバ嬢にホテル行こうよって言ってたじゃん。駄目の極北だよ、アレ」

「ててて−、おい！」

臆病におどけながらも、まだ出て行かない。何か、取り繕おうとしているらしかった。もう取り戻すものがないってところがカントくんの美点なのに――そんな批評を下して、タカハシは本に視線を戻した。

夕方になって、本棚が届いた。エレベーターのないビルの四階だったから、ヤマト運輸の屈強な配達夫が少しあえいでいた。組み立て式の本棚が二架だ、そうもなるだろう。二架目を運んできた配達夫はもはや恨みがましい顔にさえなっていた。

タカハシは受取証にサインをすると、かつて引越しのバイトで使ったゴム軍手をはめて動き始めた。カントがダンボールの端を持とうとして、開きっぱなしにしてあった扉の角に頭をぶつけた。同情よりも軽蔑が先に立った。

「いやあ、木工って重労働だねえ！」

ネジを四本留めたところで、カントは寝転がった。タカハシが、これ使いなよ、と渡した軍手を固辞して組み立て始めたから、手が赤くなり、皮が破けそうになっていた。

「別に休んでてもいいよ。俺、こういうの得意だから」

「いや、さすがのタカハシくんでも、これはきついでしょ。しかし、逆に俺が手伝うと迷惑かけちゃうからさ、ここは敢えて女子供でもできる仕事にしとくよ」

そういって立ち上がる拍子、カントが家着に降格させていたスーツの股がビリッと裂けた。ああっ、と裁かれたような声を上げつつも、気を取り直して木工用ボンドに手を伸ばした。動揺がおさまらない手つきでボンドをつけた木ダボが、すでに組み立て順と違っていた。初手から何もかも間違えた上にそもそもズボンの股が破れている——その駄目さを表す言葉が、いままで学んだどの言葉にもないと思うと、タカハシは妙に感心した。

三時間が経って、やっと本棚が完成した。タカハシは図書館で採用されている日本十進分類法に則りながら、蔵書を書架に差していった。それはまさに書架と呼ぶに相応しかった。整然と分類された書物は、旧石器的な積読(つんどく)時代を脱し、飛躍的な技術革新をもたらすだろう——目的のない読書にこそ、最大の効率が求められた。

「しかし、こうやって見ると、色んな本があるねえ」

カントは完成された書架を眺めて寝そべっていた。一ミリのＬＡＲＫメンソールから、不健康な白の煙がか細く連なっている。カントは三十の坂を越えてからすっかりきつい煙草が吸えなくなったらしかった。昔はハイライトを一日で二箱空けたと、自慢していた。

「あれこれ調べ物してると、こうなるよ」

「調べてどうすんの？」

「ああそうなんだ、って思って終わりだよ」

カントは一瞬だけ呆れたような顔を見せたが、すぐに人懐っこい表情を繕った。

「それは逆に尊敬するねえ。タカハシくんの『我が闘争（マイン・カンプ）』を、俺も共有したいよ」

「何とも戦ってないよ。調べてるだけだよ。カント君は自分の戦いをどうにかしなよ。文學界新人賞に出すって言ってたよね」

「いや、タカハシくん、見くびるな。やるよ、俺は」

手を前に突き出して、ストップのジェスチャーを繰り出してはいたが、その後には泣き言が続いた。最近、どうも小説が書けないらしい。敬愛する太宰治にまつわる伝記ばかり読んでしまい、太宰の生涯を追体験した気になって終わりだという。俺もタカハシくんぐらいパソコンが使えたら、もっと書けるのにねえ。いかんせん、手書きだから——自慢だか諦念だかわからないことを言われて、タカハシはただ「惜しい」と思った。彼の文章は下手ではなかった。外出時に残すメモなど、常人と違う所があった。もしも一冊の本になるぐらい長いものが書けたら、何者かになれそうだった。


ともかくも本棚が揃ったわけだから、順風満帆とまではいかなくとも、熱心に舵を切っていれば平穏に過ごせるだろうと思っていたのだが、そうでもなかった。春先の賃貸更新が済んで、もう五月になろうという頃、悠太が突然訪れた。すべての面倒なゴタゴタをそのままにして出ていった男だったが、タカハシはかつての同居人を邪険にすることはできなかった。

「うーす。ただいまー」

悠太の言葉に、タカハシは少しだけ苛だった。四〇一号室を出て行くとき、すべてをいい加減に済ませたというのに、まだこの家の住民であるかのような顔をする。が、苛だちはすぐに収まった。タカハシが抱く感情は、好奇心と整理欲以外、すべて長続きしなかった。

「どうしたんですか。なんか面白いことでもあったんですか」

「いやなんかさ、ヤスが帰ってきたって聞いたから。カントが見たがってたろ。なあ」

と、タカハシと目も合わせずに、悠太はカントに水を向けた。

「ああ、ヤス！　生きてたんだ」

カントは胡散臭い手つきで十字を切った。ヤスという男は山谷の都営住宅に居を構えるチンピラだった。なんでも、はじめにカントと出会ったときに紹介してくれたホームレスにレイプ——いわゆる鶏姦——され、それ以来行方をくらましていた。小説家を志すカントは、なんとしてもヤスの強姦体験をネタとして仕入れたがっていた。

「それはかなり熱いニュースだね。泣き言はある意味最高の文学だから。タカハシくんも行くでしょ？」

「いや、タカハシは何かと忙しいから、誘っちゃ悪いぜ」

タカハシが答えるより先に、悠太が答えた。思わず表情を確かめると、やはり勝ち誇った顔をしていた。タカハシも興味がないわけではなかった。一年半も同居した悠太はそれを知っているはずだった。

「まあ、悠太、そういうなよ。タカハシくんもここでは敢えて遠慮するけどさ。逆にそこは俺たちが勇気を出して誘わないと」

「なんだカント、妙に肩持つな」

悠太は細く切りそろえた眉を上げ、小鳥のように威嚇した。

「おま、タカハシの肩持ったって、タカハシみたいにはなれねえぜ」

肩を持つ、という言葉にすでに棘があった。駄目ガンジーを自称するカントがその言葉に敏感なことを充分に知っている尖り方だった。しかし、カントはそんな悠太だからこそ、放っておけなかった。勝手に板ばさみになって、一人傷つく英雄主義者だった。

「まあ、そこまで邪推されちゃあ、逆にタカハシくんを巻き込むわけにはいかないしねえ」

「だろ？　おまえの足の引っ張り方ってハンパじゃないからな」

「悠太、わかってんねえ」と、カントは腕を組んで呟いた。「タカハシ君には依存しまくってるからねえ」

カントの組んだ足が震えていた。うずうずとしたその動きが、気遣いのあったことをすぐに忘れさせた。

「行っといでよ、カントくん。俺、どうせ調べなくちゃいけないことがあるから」

「そうかい？　悪いねえ」

カントはそう答えると、疾風のように出て行った。ドアを閉めるとき悠太の顔が勝ち誇ったとおり、タカハシの人生には、やらなくてはいけないことなどなかった。やらなくてはいけないことを極力避けて生きてきた。

翌朝、タカハシが早くに起き、トイレに行くと、女がワッと声を上げた。真っ裸で便座に腰をかけていた。タカハシは見たこともない女がいたことで少しだけ動揺したが、飢え死に寸前のトラみたいに痩せた女だという感想が優勢になり、ごく冷静に扉を閉めなおした。そして、扉を閉めたあとの沈黙がやけに冷たすぎると、気を使って話しかけた。

「服脱いだままトイレに入るの？」

向こう側でからからと紙を巻く音がして、沈黙が緩くほどけた。

「いや、あの、お風呂入るところだったんで」

「そう。うちさ、いっつもアコーディオンカーテン閉めてるから、夜じゃないとわかんないんだよね」

「は？」

四〇一号室は古い造りだった。トイレと風呂の戸が向かい合わせになっていて、戸を開け閉めする空間が脱衣所になっている。アコーディオンカーテンで居間から距てることはできるのだが、トイレに行くときは、脱衣所を通らなければならない。夜ならば、アコーディオンカーテンの蛇腹越しに明かりが漏れるから、誰かが風呂に入っているとわかる。タカハシはこの女に説明しようとしたが、面倒なのでやめた。悠太は宮台真司の影響でナンパをよくした。一緒に住んでいた頃も色んな女を友達だといって連れ込んだ。そして、同じ女が二度訪れることは稀だった。もうこの部屋を訪れることのないこの女に、風呂の入り方を教えるのは無駄だった。

立て付けの悪い玄関の新聞受けを開き、新聞をとると、ソファに座って読み始めた。日曜版だったから、書評の漫画欄を読み終える頃には、風呂に入れるはずだった。

求人欄を二、三めくったばかりになって、女が「うわ！」と叫んだ。そして、裸のままトイレから出てきた。

「ちょっと！　あたし悠太とヤった？」

タカハシは知らなかったが、たぶん、と答えた。女が一瞬険しい顔をしたので、少し適当すぎたかと反省をしたが、それもすぐに消えてしまった。告発者めいた深刻な顔の女の指先は鼠蹊部を示しており、そこにはマジックでなにかが書かれていて、それはごく控え目ながら、たぶん、「ちんぽ」という文字だった。悠太が宮台真司のサインの真似をするときの、ラフなタッチだった。

「これ、ちんぽって書いてない？」

タカハシもたぶんそうだと思ったが、さっき会ったばかりであまりまじまじと下腹部を見るのも悪いと思い、さあ、と答えた。

「うわ、マジ最悪！　悠太とヤったとか、ありえないんだけど」

「ヤレなかったから、腹いせに書いたんじゃないの」

悠太はよくイタズラ描きをしたから、気休めというわけでもなかったのだが、女は信じなかった。マジ、あいつ、くそ、などと罵りながら、徐々に狂乱状態に陥っていき、ついにシンクの戸棚を開け始めた。たぶん、包丁を探していた。タカハシは下腹部に「ちんぽ」と落書された全裸の女が包丁を探しているという状態に感心していたので、特に止めなかった。深刻な流血沙汰になるのを避けさえすればよいだろう、と今後の展開に期待さえしていた。

ついに包丁を見つけ出した女は、止めんじゃねーぞ！　と凄みながら、カントの部屋へ入っていった。そして、意外なほど果敢に、てめえ悠太！　と包丁を振り上げたので、タカハシはその肘を掴んで逆手に捌った。下手に手を出しては切ってしまいそうなので、包丁は握らせておいた。悠太はまだ布団の中でむにゃむにゃとしていたが、目に飛び込んで来たのが全裸の女と包丁と関節技をかけるタカハシだったので、一気に目を覚ましたようだった。

やめろ離せとか、なんだよこの豚女てめえちんぽって書いてあるぞとか、ふざけんなテメーが描いたんだろこのレイプ魔とか、バーカ和姦だよ、などというゴミのような罵り合いが続く中、タカハシは一応女が動けないように抑えてはいたが、ふと、カントがいないことに気づいた。カントの部屋に悠太だけが寝ている。その事実がこの朝でもっとも異常な事態に思えた。

二人が落ち着くのを待って、タカハシはカントの行方を尋ねた。こんにゃく問答を続けていると、女がカントだと思っているのは、悠太のナンパ友達のことで、グレートなんとかというのがカントだった。悠太は遊びに行くとよくナンパしたが、普通の人間は恥ずかしいのでナンパに協力しない。そこで、嫌がる仲間に偽名を与え、普段よりも奔放になれるよう取り計らう。それで今回は悠太のナンパ友達がカントになり、カントがグレート・ヒッピー・パパになったらしかった。

「その友達っていうのは、帰ったんですよね？」

「ああ、三時ぐらいに帰ったぜ」

「で、カントくんは？」

「あれ？　どうしたっけな、パチンコ屋の前を通ったときまではいたんだけど……」

悠太は口を尖らせて頭をかいた。なかなか思い出せないようだった。うわ、抜けた、と絶望して、かいた掌を眺めた。毛髪が二本ついていた。悠太は禿げることを極度に恐れていた。

「まあ、いないならいないでいいですけど。で、悠太さんはどうやってうちに入ってきたんですか？」

「ああ、鍵持ってるから」

悠太はころりと寝そべった。枕元にあったスウェットパンツの尻をまさぐり、鍵を取り出す。

「それ、どうしたんですか」

「ああ、カントに借りた。あいつ、変なババアと一緒にラブホ行くとか言って、ほんとに……」

と、悠太が言い終えないうちに、タカハシは悠太の指先から鍵をひったくった。四〇一号室の鍵には同心円状の刻印がついているはずだが、悠太の持っていた鍵にはそれがなかった。たった一瞬でそこまで見抜けたのも、悠太への不信があったからだった。その危惧は当たっていた。悠太が見せた鍵には、ミスターミニットのキャラクターが刻印されていた。

「これ、合鍵ですよね？　いつ作ったんですか？」

「知らねえよ」と、悠太は唇のわななきにかすかな動揺を見せながらも、ドスを利かせて喉を鳴らした。「カントが勝手に作ったんだろ」

「カントくんがそんなに気の利いたことをするわけないじゃないですか。同じズボンを十日も穿くような輩ですよ。どうせ生まれてから一回も合鍵作ったことないですよ」

「わかってねえなあ。あのカントでさえ、タカハシさんには怯えてたからなあ。大方、作らせたんじゃねえの。おまえみたいにだらしない奴はどうせ失くすとか言ってさ」

「僕はそんなこと一回も言ってませんよ」

「だから、無言のプレッシャーでさ。おまえ、そういう奴じゃん」

至極どうでもいい諍いだったのだが、「無言」という言葉で決め付けられたような気がして、カチンと来た。

「人の家でデート・レイプしといて、偉そうな口利かないでくださいよ。アメリカだったら訴訟されてますよ」

タカハシは歳上の人間に最低限の敬意を払っているつもりだった。たとえどんなにふてぶてしい態度を取っても、悪口はおろか、タメ口さえ利かなかった。それは悠太と一緒に住んだ一年半も徹底され、体育会的なルールを遵守した。本人は従順なつもりでいたからわからなかったのだが、悠太はそれでもなんとか耐えていたらしいということが、眉の釣り上がる早さでわかった。タカハシのふてぶてしさが、悠太には堪え難いものだったのだ。

「偉そうなのはどっちだよ！　ここアメリカじゃねーよ！　北千住だよ！」

悠太はもっともな反論を叫びながら、くたびれたトランクス一丁で立ち上がった。その無防備な姿のまま、それまで大人しくしていた女に包丁で切りかかられ、きゃあと倒れこんだが、すんでのところでタカハシは女を取り押さえた。悠太は自分を守ったタカハシを強く睨んだ。トランクスの隙間から睾丸が見えていた。睾丸には皺がなく、歳にそぐわない無垢な玉が、タカハシのふてぶてしさを糾弾した。

奪い取った包丁を振りかざして、狂態を演じた二人を追い出した。不偏経済学についての調査でもしようと机に向かったが、まったく集中できなかった。同居人をしてあれほど惨めな恨みがましさを持たせてしまう自分はいったいなんなのだ。なにか決定的に悪いところがあるのではないか。タカハシは一万三千円も出して買ったジョルジュ・バタイユの研究書をまったく読み進めることもできないまま、ひたすら悠太との同居時代を思い出した。どんなに思い返しても自分の非は見当たらなかったが、あれだけ恨まれるということは、なにか悪いところがあるはずだった。

そのまま西陽が差し込む時間になって、帰ってきたカントに疑問をぶつけた。カントは妙な照れ笑いを浮かべながら、逆に男だね、タカハシくん、と評した。

カントは通り一遍にタカハシを褒め称えたあと、悠太一行と別れたあとの話をした。なんでも、安い居酒屋でライスを一膳頼み、店員を使って近くの女子席に、あちらのお客様からです、と届けさせるという得意のナンパを始めた悠太たちが鬱陶しく、ついつい店を出てしまったという。

「でさ、日光街道にある寿司屋でさ、飛ばしたよ。逆に、隣に座ってたババアを本気で口説いたからね」

「ババアって幾つぐらいの？」

「五十ぐらいだったよ」

「なんで？」

「いやなんかさ、板前のオヤジがこう、赤貝をまな板に叩きつけて自慢してくるんだよ。ほら新鮮だろ、みたいな感じでさ。俺も鬱陶しくなって、ババアとだけ話したよ」

カントはその後、ババアと北千住のラブホテル「新日本」に行った。タカハシに気を使い、家に連れ込むのはよしたらしい。ババアには帝王切開の痕があった。こんなだよ？　カントはそう言いながら、嬉しそうに股間から下腹のあたりを何度もなぞって見せた。

カントがなぞる手は徐々に早くなっていった。こんなだよ？　こう！　カントは酔っていた。十時だったが、昨日から酔い続けていたのだろう。しまいには、ブリッジのような姿勢になりながら、こう！　と叫んだ。笑い声の中に、アルコールの甘い匂いが混じっていた。ブリッジしながら帝王切開の手術痕を示すアル中を眺めながら、タカハシは怒らずにいられる自分にあらためて感心し、悠太との同居解消に関して自分にはなんの責任もないと確信した。

「ところで、なんで悠太さんはうちの合鍵持ってたの？」

「いや、悠太もさ、この家に戻りたくって、何度か電話してきたんだよ」

「あれ？　会ってたんだ？　もしかして、合鍵作らせてあげた？」

「うん、まあ、あの頃、俺らは陰で君に『たーくん』とか渾名つけて、下手に結託してたからね」

結託、という言葉がなにか企みごとめいていたから、タカハシはまだ救われた。それがもっと強い、心の底からの信頼を伴っているような言葉ではなくてよかった。タカハシは鍵を預かると復讐するようにそれを捻じ曲げた。


タカハシは平穏無事でいれば大体のことはどうでもよかった。悠太襲来の事件があったあと、あらためてその確信を深めた。やっぱり平和が一番だな、と山田に話すと、意外だね、という答えが返ってきた。

「丸毛くんと住んでた頃は、ご飯とか全部作ってあげてたから、めんどくさい人と住むのが好きなのかと思ってた」

「メシに関しては作っちゃった方が楽じゃん」

山田は、あ？　と聞き返した。山田はよく、タカハシに問い返した。タカハシの話は六割も理解できないと言っていた。そんな二人が一緒にいることがそのまま世界の素晴らしさだと、タカハシは何度も説き伏せたが、山田はそれも理解しなかった。

「だってさ、メシとかを完全に二等分するのって、難しいだろ。たとえば俺が料理作ったら幾らとか、どうやって決めるんだよ」

「時給にすればいいじゃん」

「でも、そうすると、品質担保が必要になるだろ。その時給の正当性を保証しなきゃならない」

「そんなの二人で決めればよくない？」

「ルールが決まってても、料理に失敗したら、ケチつけられるだろ」

山田はしばらく黙り込んだ。そして、私と住んでもそうなの、と尋ねた。

「そんなことないよ。ただ丸毛とかカントくんとか、みんな他人だからさ」

山田は、おおお、と感情を持て余し気味に呻くと、頭をガシガシとかいた。何本もの毛が抜けて、絨緞の毛に絡まった。山田の髪の毛は太く、執念深い。タカハシは身体を伸ばし、布団から出ることなくカーペットコロコロを取った。三往復も転がせば、びっしりと髪がついた。山田は辱められた表情でロール紙をはがし、ゴミ箱に向かって投げた。あまりに強く投げたので、それは高く舞い上がり、タカハシの使っている五年もののノートＰＣの上に落ちた。何かがうまくいかなかった。

とにかく、カントが平穏を乱す元凶だった。定職にも就かず、テレアポのバイトで日銭を稼いでは、後先を考えずに使ってしまう。そして自棄になり、得体の知れない面倒を起こす。この宇田川ビル四〇一号室において、カントは危険な不確定要素だった。なんとかして、カントを小説へと集中させる必要があった。

カントは今日日珍しく、手書きをしていた。小学校で使うような緑罫のＢ５版原稿用紙を持って、鉛筆で書く。しかも机を持っていないから、万年床に座って地べたに書くか、居間のソファに座ってピーチ材のローテーブルに書くか、どっちみち低い姿勢を続けなければならなかった。そんなやり方では腰が痛くなってしまうし、長くは書けない。必要なのはノートパソコンだった。あれなら膝の上に置いても書ける。

居間のソファでとろとろと酔っていたカントを熱心に説き伏せると、カントは笑いながら、「でも、これがねえ」と、親指と人差し指を擂り合わせた。

「所詮、アルに消えちゃうからね。俺、生まれてから一回も貯金したことないし」

「でも、どうせワープロソフトしか使わないんでしょ。だったら、中古でも五万ぐらいだよ」

「へえ、そんなに安いんだ」

「そうだよ。アキバのソフマップとかで買えばいいじゃん。俺が一緒に行ってあげるよ」

一緒に、と言った瞬間、カントはいかにも嬉しそうに笑った。

秋葉原に来るというのは、メイド喫茶が流行り始めた頃に物見遊山で来て以来だった。カントも新し物好きではあったが、家電やオタク文化とは縁遠い生活を送っていた。事実、カントを小説に集中させて平穏な生活を取り戻したいという目的を持つタカハシと異なり、カントにとって秋葉原の人ごみは疲れるだけらしく、昭和通りを横に入ったところにある児童公園で煙草を吹かしていた。我慢の利かない男たちが、路上喫煙の反則金を恐れて公園に入り浸っていた。タカハシが煙草を吸い終えるのを待っていると、カントは吸殻を砂場に差し込み、胸の前で十字を切った。

「じゃあ、行こうか」

「どうする？　一応、新品も見てみる？」

「いやあ、俺はタカハシくんを全面的に信頼してるからさ。逆にすべて任せるよ」

ヤニと歯垢で真っ黄色になった歯を覗かせて、カントは笑った。

「じゃあ、ソフマップからにしよう」

二人でソフマップの中古パソコン2号店に入ると、タカハシは適当に三つほど選んだ。タカハシが選んだＰＣは、どれも残飯のようにラッピングされ、ドブ鼠色の弁当箱に似ていた。カントはその三台を何度か見比べてから、急に渋い顔をした。

「逆に聞くけど、タカハシくんはどれがいいと思うの？」

「このＮＥＣのがいいと思うんだけど」

「なるほどねえ。こっちのはなんで駄目なの？」

カントはＩＢＭのパソコンを指した。

「性能は大して変わんないよ。ただ、俺、これがあんまり好きじゃないんだよ」

タカハシはキーボードの真ん中にある赤いトラックポイントを指した。

「確かにデキモノ風だね」

「いや、見栄えじゃなくて、単に使いづらいんだよね。マウス代わりとしては。これが好きな人もいるらしいけど」

「タカハシくんはこっちのが好きかい？」

カントはそう云いながら、いかにも迷った風にＮＥＣパソコンのタッチパッドを撫ぜた。

「まあ、カントくんがどう感じるかはわからないけど。それって、叩くとクリックの代わりになるからね」

「で、どうなの、他の性能的には」

「入ってるワープロソフトは一緒だよ。まあ、ＣＰＵはＩＢＭの方がいいみたいだけど……大して変わんないよ。違いはマウスポインタぐらい。あとは信頼性？　どれぐらい変わるのかは、わかんないけど」

そう言ってから、カントはパソコンを決めるまでに三時間を要した。豆粒か板かという瑣細なことで悩むのではない。怖くて窺うのだ。顎に手をあてて、さも深刻に悩んでいるのは、パソコンではなく、何かを決めるということに対して、手を差し伸べて欲しいからだった。

結局、カントが買ったのは一番はじめにタカハシが目星をつけたＮＥＣだった。タカハシはカントがあまりに「大丈夫かな」と訊くので、いい加減に嫌になって「そんなの自分で決めろよ」とむくれた。それがカントを追いつめた形になり、ついに購入へと落着した。カントは心証回復でもしようと思ったのか、唯でさえパソコンを買って痩せた財布から、焼肉を奢った。それはおそらく、カントが「パソコンを買うから」と長崎の母にねだった金だった。

「まあ、好きなもん食ってよ」

罪悪感。鷹揚に言いながら自分はキムチをつまむだけのカントを見て、タカハシはことさらにその言葉を思った。カントは生きていることが悪いと思っているようだった。

「今日はタカハシくんに時間を使わせちゃって、悪いと思ってるからさ」

「まあ、いいよ。そんなに気にしなくても。俺もカントくんがこれで小説をバリバリ書いてくれたら、時間の無駄なんて思わないからさ」

カントはキムチを落とした。箸の扱いが下手だった。逆手で握るようにして持つ。掃除当番であるタカハシは、一度だけ指摘したことがあったが、小さい頃から一人で食事を取ることが多かったから、と言われて以来、何も言わずに掃除当番を引き受けることにしていた。

「何か、他に手伝ってほしいことない？」

「いいのかい？」

「いいよ。下調べぐらいなら、すぐできるから」

「確かに、俺とタカハシくんで書けば、無敵だからね」

カントはそう言うと、これまで一度として語ることのなかった小説の構想について、話しはじめた。

カントとタカハシを思わせる二人組が長崎に向かい、ガッチャガチャの狂態を演じるという設定だった。

「ガッチャガチャって何？」

「いや、俺も相当考えてるよ。逆にタカハシくん、どう書かれても怒らないでよ」

「別にいいよ」

カントはニヤニヤしながら、これは絶対イケるよ、と呟いた。

「でも、旅行して終わりなの？」

「いや、途中からグラバーが出てきてさ。時代を跨いだ純文学にするつもりなんだよね」

「グラバーって、長崎の商人でしょ？　幕末か何かの」

「そう。歴史的な展開も含めて、ガッチャガチャになるからさ」

カントの言うガッチャガチャがどんなものなのか、タカハシには一向にわからなかったが、カントには見えているようだった。

「ともかく、グラバーのことは調べとくよ」

「悪いねえ」

「いいよ。悠太さんのときも手伝ったし。自分じゃ書かないから、調べたものが作品になったら嬉しいし」

「タカハシくん、俺はやるよ」

カントは改まってマジメな顔をすると、照れ隠しをするようにキムチを摘んだ。逆手の箸で摘んだキムチは口へ運ぶより前にぽとりと落ちた。

カントは覚束ない手つきで人差し指を動かしながら、六月末〆切の文學界新人賞に出した。応募規定の百枚をはるかに下回る四十六枚で、末尾には「第一部・完」と付して投函した。タカハシの調べたグラバーは一度も登場しなかった。

「捨てゼリフみたいだね」

タカハシはカントの文章なら少ない枚数でも穫れそうな気はしたが、「第一部・完」では無理だと思った。

「いやあ、俺も久々に自分に失望したよ。でも、第二部でグラバー邸が出てくるからさ」

〆切の翌日、カントは三鷹の禅林寺に行き、夜遅く、空だったリュックを満杯にして帰ってきた。入っているのは、太宰治の墓石の周りにある砂利だった。その日以降、毎晩隅田川の汐入大橋まで散歩しては、一つずつ石を川に流した。タカハシは身投げでもするのではないかと危惧して後をつけたが、本当に石を川へ流しているだけだったので、彼にとっての喪の作業なのだろうと安心した。

梅雨が本格的に始まると、カントは石流しもしなくなった。大貧民にハマっていた。生まれてはじめてインターネットという世界に飛び出してハマったのが、どうということのないトランプゲームでの対戦だった。タカハシはカントが小説家になろうとしていることを決して腐したりはしなかったから、大貧民にハマるという凡庸さを危ぶんだのだが、当のカントはもはや他人の目など気にならないらしく、夜中の三時には、弱えー！　こいつアホだろ！　という哄笑が聞こえてきた。しまいには、夜中にトイレへ行くタカハシを捕まえて、聞いてよお、と駄々っ子のような口調で対戦相手をけなすようにさえなり、その子供っぽい姿にはなんの媚もない正直さがあった。

「こいつ、ありえない手を打ってくるよ。カスだよ、ホント！」

カスという言葉の強い音に、タカハシは反論したいような気もしたが、結局はそれも弱さだと諦めた。責めることは無意味だった。が、そう思っても、思わず厭味が口を突く。

「それもいいけどさ、小説は書かないの？　また秋に群像新人賞があるんでしょ」

「いや、それなんだけどさ。俺みたいな駄目人間は逆に、太宰賞みたいなヘボい賞に惹かれるんだよね」

「まあ、ヘボくても獲れればいいけど」

「逆にね、こっちの世界ではすでに神になりつつあるから、タカハシくんは安心していいよ」

そうやって見せてもらったのがＹａｈｏｏ！のフリーゲーム・ランキング表で、カントのハンドルネームである「ヨヨヨ三国志」が全国二位という成績を勝ち取っていた。ノートＰＣの手を置く部分がすでに黒ずんでいる。タカハシは戦慄と共にカントを見た。ＰＣを買ってこの方、始皇帝のような流儀で時間を奢侈してまで勝ち取った「全国二位」という肩書きを何度も呟いた。その口には、チーズのように歯垢が溜まっていた。

カントはもともと働き者ではなかったが、どんどん働けなくなっていった。大貧民に夢中になりすぎて、テレアポのバイトを遅刻するようになり、遅刻で怒られたことに腹を立てて深酒を繰り返す。夜中の三時ごろに隣室から、弱えぇ、こいつカスだな！　と聞こえてくると、泊まりに来た山田も怯えた。

「大丈夫なの、アレ」

と、山田は布団に包まって尋ねた。そうしている間にも、ＰＣの画面に向かって叫んでいるカントの声が聞こえていた。邪悪すぎて可愛そうになる罵り方だった。

「いや、もうリハビリしないとまずいよ。アルコール依存症が悪くなってる」

「でも、どうすんの？」

「わかんないけど……まずは説得しないと」

「説得で治るの？」

山田は枕を使わず、頭まで布団に包まって眠る習性があったから、ちょうどタオルケットの中からタカハシを見上げるような格好になった。巣の中で怯えている小動物といった風情があった。

「話せばわかるでしょ。人間なんだから」

タオルケットの中で爛々としていた山田の目が、ふうん、という言葉と共に閉じた。タカハシはそのままタオルケットを持ち上げて、山田を見下ろすようにしていたが、山田を説得するよりも立ち直ったカントを見せた方が早いと一人合点し、そのまま山田を暗闇の中に戻してやった。

アルコールであれ、ゲームであれ、セックスであれ、パチンコであれ、依存の病根は同じだということを、前の同居人である丸毛はよく言っていた。自己分析の得意な男だったから、間違いはないのだろう。が、それが治しがたいものだということもタカハシはよく知っていた。丸毛がそうだったからだ。到底、治しきれるものではないということもわかっていた。

とこう、ぐずぐずしているうちに、カントは血を吐いた。夏の盛りだった。

その前夜、カントはタカハシが買ってきた六本入りのガリガリ君をすべて食べてしまった。それまでも盗み食いはままあったことだから、腹も立たなかったのだが、一晩で六本という量が気にかかり、昼頃尋ねてみた。するとカントは胃のあたりを抑え、ちょっと飲みすぎて胃の調子が悪くてさ、と答えた。唇が真白で、汗ばかりかいていた。

「吐いた?」

「もう十回ぐらい吐いてるよ」

そういった側から、カントは蛙のような音で鳴き、そのままトイレへ駆け込んだ。胃の底がひっくり返るような音が聞こえたが、出てきたカントが言うにはほとんど何も出ないということだった。

「大丈夫？　俺、なんか買ってこようか？」

「いや、俺みたいなゴミのために、タカハシくんにそこまでさせられないよ。アル中はこういうのに慣れてるからさ」

「気にしなくていいって。俺、今月もう仕事ないから」

それでもなおカントは自分の低劣（カス）さを理由に固辞したが、タカハシが玄関で靴を履いてしまうと、アイス買ってきてぇ！　と子供のような声を出した。

タカハシはスーパーで箱入りのアイスと粉末状のポカリスエットを買い、走って戻ったが、カントの部屋に入って腰を抜かした。吐く息が白くなるほどクーラーを効かせた部屋の中で、カントは小さなゴミ箱を抱えて吐いていた。大丈夫？　と話しかけても、答えるより先に突き上げが来るらしく、三十秒に一回の割合で吐いている。植木鉢ぐらいの大きさしかないゴミ箱は満杯になり、ほとんど液体ではあるけれどもさっきまでは確かに体内にあったらしい粘り気でちゃぷちゃぷと揺れている。いまにも溢れそうだった。フローリングならともかく、畳に零してしまっては、毎月二万円ずつ積み立てた敷金十六万円が大損害を受けることになる。

「いま洗面器持ってくるから」

タカハシは風呂場へと走り、白い洗面器を持ってきた。カントはそれを受け取ると、待ってましたと言わんばかりにゲロをぶちまけた。一度終わると、そのまましばらく踞って、またすぐに吐く。オロロロとえずく音も生々しく、いかにも食道を搾り出している風である。子供と酔っ払いの専売特許である嘔吐だが、カントの流儀は子供のそれだった。ズボンの裾が汚れるとか、そうした気遣いは一切なしで、洗面器にしがみついてた。

そっと、思いやるつもりで、部屋を出た。が、調べ物をしようとしても、カントのえずく声に耳をそばだててしまう。タカハシは読み差しの本をそっとしまうと、カントの部屋を覗いた。洗面器は赤く染まっていた。

カントをおぶって共済病院に向かった。保険証は持っているか、国には守ってもらえるか、少しなら貯金はあるから心配しなくても大丈夫だけど、と冷静な口調ながら半ば心中めいた深刻さで話しかけ、診察室に押し込んだ。医者の前に座ったカントは急に無口になり、俺じゃどうせ理解できないから信頼できる友人である彼に話してくれ、と言ったきり黙り込んだ。タカハシより一つ二つ年下らしい医者は、いいんですか、と窺う目でタカハシを見た。タカハシは黙って頷くと、一通りの診察の流れを聞き、カントが胃カメラを飲むことに同意した。カントは恨みがましい目でタカハシを見上げてから、オーケイ、さっさと済まそうや、とチンピラ風の口を聞いた。警官や、鉄道員や、公的な機関に属する人間と話すとき、カントはいつもそう振舞った。

廊下の椅子に腰をかけて、カントがストレッチャーで運ばれていくのを見届けると、医者が出てきてカントの症状を告げた。吐きすぎて食道と胃の接合部が切れてしまったらしい。マロリー・ワイス症候群。発見者の名前を取ってそうつけられた。なぜ切れたのかはわかったが、なぜ吐きすぎたのかは教えてくれなかった。

「彼、アル中だと思うんですけど、どうしたらいいですかね」

タカハシが質問すると、医者は、私は外科が専門なのでよく知りませんが、と前置きをして、本人の意志なくして完治の見込みはないと告げた。依存症は意志の病である。タカハシは医師の言葉を「絶対に治らない」と翻訳した。

処置室のすぐ脇にある病室で、カントは横たわっていた。タカハシを見上げる目が涙で潤んでいる。胃カメラを飲むときになにかを飲んだのだろう、唇の周りに白い粉がついていた。

「癌とかじゃなくてよかったね」

タカハシは慰めるつもりで告げた。カントは弱々しい声で、病院なんか来なくてもよかったのに、と呟いた。

「でも、もし大事だったらと思うとさ、良かったじゃん」

「いや、タカハシくん、胃カメラ飲んだことないでしょ？　あれ、メチャクチャ苦しいよ！」

「ごめん、俺、生まれ持っての健康体だから」

「まあ、そうだろうけどさ。でもね、俺ぐらいアルのプロやってると、大体わかるんだよ。これぐらいなら大丈夫だって。だいたいさ、下手に内科で直しちゃうと、また飲んじゃうから、逆に意味ないんだって。ヒバリが死んだときだって、もっとヤバかったからね」

カントはふて腐れたような顔で寝反りを打つと、そのまま沈黙へとひきこもって行くようだった。いつもは冗談めかしてしか話さないヒバリのことを聞いてみたかったが、どんな言葉で切り出せばいいのか、タカハシにはわからなかった。


しばらくの間、カントは酒を断った。ゴミの管理をするタカハシは、ビールの空き缶も焼酎のペットボトルもないことがわかっていた。タカハシは一月ほどゴミを見張り、カントが新しいバイトを見つけたことで一安心した。自助グループに電話をして更正させようとしたときは、本人に治る気がなければ駄目ですよ、と断られ、改めて「自助」という言葉の意味に感心したほどだったのだが、駄目ガンジーには駄目ガンジーなりの手管があるらしく、危なくなったときはきちんと自制するのだ。そういえば、カントが安くてアルコール度数の高い日本酒に手を出さないのは、糖尿病にならないためだと得意げに言っていた。ヒバリが死んだのは糖尿病の合併症だったからだという。タカハシは再び平穏が戻ってきたと安心し、カントの狂態を触れて回った。誰もがその話を聞くと顔をしかめたが、タカハシは優しい男だということになった。

その月、タカハシが新薬の治験バイトに入り、十日連続で顔を会わせなくなった。そのシフトが明けて家に戻ってみると、カントが朝方に帰ってくることに気づいた。そういえばテレアポの仕事を続けているとしか思っていなかったと思い返し、尋ねてみると、裏だよ、という言葉が帰ってきた。

「裏って、なに？　風俗？」

「いや、これだよこれ」

カントはそういうと、両手を揃えて雑巾がけのような仕草をした。

「なにその土下座みたいな仕草」

「ある意味、土下座だよ。裏ＤＶＤ焼いてるんだから」

「へえ、そうなんだ。面白そうだね。小説のネタになるんじゃない？」

「いや、俺もそう思ったんだけどね。カス過ぎて逆に面白いんじゃないかと。しかしねえ、俺はエログロが好きじゃないからねえ」

「それって捕まるリスクはないの？」

「あるよ。焼きあがった裏ＤＶＤを深夜の郵便局から業者に送るんだけどさ、郵便局員がタレ込むんだよね。ＤＶＤのつまった茶封筒が怪しすぎるからさ。こないだなんて、池袋で警察に追われて、北千住まで自転車で帰ってきたよ」

「へえ、すごいね。それをネタにして小説書けばいいのに」

「俺もある意味、落ちるところまで落ちたからねえ」

「そうだね。坂口安吾と一緒じゃん」

「だねえ。逆に書けるよ、新堕落論」

カントはそういうと両腕を交差させて、脇の下をばふばふと叩いた。「第一部・完」を文學界新人賞に出してから、かれこれ三ヶ月が経とうとしていた。太宰賞まであと三ヶ月しかない。カントもようやくそのことに気づき始めているようだと、タカハシは幸福な一人合点をした。

そのままパソコンに張り付いている日々が続き、その熱心な姿を見ていると、実は家賃が一ヶ月滞っていることを言い出せずにいたが、カントの部屋に本を借りに行ったときだった。カントがかつてエホバの証人からせしめた聖書を拾い上げて万年床の脇を過ぎるとき、パソコンの画面上でヨヨ三国志が大貧民を打っているのを見た。

「あれ、もしかして、小説書いてない？」

率直に尋ねると、カントは悪びれない表情で、いやあ、下がったランキングを挽回しようと思って、と答えた。

「小説、書いてないでしょ？」

「いやあ、俺も自分で呆れてるよ」

カントは黙り込み、髭を撫ぜた。もはや弁明しようとさえしない狡さが、痩せ衰えた頬で影となっていた。

「なんで？　文學界が駄目だったから？」

「いやあ、そういうわけじゃないんだけど」

どうやら図星だったらしいと、タカハシが黙り込んでいると、外から小学校の下校の時間を告げる放送が聞えてきた。五時になりました。児童のみなさんは……。カントは、ああ、と呻いた。

「この放送聞くと、死にたくなるよ。丁寧すぎて」

タカハシはこれまで、死にたいという言葉を何度も聞いたことがあり、その発言をした人間の百パーセントが生き残っていることを思うと、これもまたブラフだと指摘してやりたくもあったが、カントには読めないところがあったので逡巡した。

「カントくんはなんで小説書いてるの？　太宰に憧れてるから？」

カントは顔を上げた。下校の時間を告げる放送は二巡目に入っていた。

「聞きたいかい？」

タカハシは頷いた。カントはもっともらしく腕を組み、顎に手を当て、復讐だよ、と呟いた。下校時間を告げる放送はまだ続いていた。

「そうなんだ」

「ちょっと、タカハシくん！　そこ、笑うところだよ」

カントは冗談の中に笑い飛ばそうとしたが、多分、嘘じゃなかった。それが生き様だと思えば、合点がいった。身体を壊すほど酒を飲むのも、碌に仕事をしないのも、ヒバリを殺した何かに対する復讐だと思えば、一貫していた。正体がないものだから、責めようもなかった。その復讐を、タカハシは放っておくべきだった。

それならばと、タカハシは安心して自分の趣味に取りかかった。そして、ここ二年に続けた調査の集大成として、不偏経済学に立脚した新しい自治体のビジョンを方々に電子メールで送った。そのメールの受け手にとって、タカハシがときおり送ってくるメールは奇妙な読み物であり、大概は、相変わらず面白いね（笑）という類の返事しか受け取れないのだが、タカハシはぞんざいな扱いを受けることに慣れていた。

カントはガタガタとメールを打ち始めたタカハシを見て、なかば怯えながら、やってるねえ、と部屋を覗き込んだ。先を越された寂しさが、カントを思慮深く見せていた。

メールの反応はかんばしくなかったが、大学時代の級友で新潟に都落ちしていった坂田が返信してきた。坂田はフリーランスのウェブ制作者を自称していたが、実際は実家の農業を手伝いながらのアルバイトであり、神童と騒がれた過去を見事に錆びつかせたクチなのだが、社会的成功をなんら収めていないタカハシや丸毛は彼にとって未だ親しみやすい友人だった。

Re:【最小文化単位としての国家】自分の食い扶持は自分で作る

やっほ。坂田だよ。なかなか面白いビジョンだね。妙に現実的だし（笑）

アイデアとしてはすごく面白いけど、地方の農村を復興させるっていうのは、少し無謀かな。現実はそんなに甘くないよ。ガーナのカカオ農園で働く子供より人件費を下げられるわけないし、アメリカのＤＯＬＥがやってるような大規模農園に勝てるわけもないしね。うちの実家は米以外に普通の野菜も作ってるけど、やっぱりまずくて高いよ。残念だけど。

ぼくみたいにＷＥＢを本拠にしてると、それってバーチャルな世界でやるのはどうだろうって思っちゃうんだよね。２ちゃんねるとかはすでにローカルな言葉を生んでるよね。君が言う国家の概念からすると、バーチャルでも充分果たせることだと思うんだけど。無人島を買うぐらい、君ならいつでもできるだろう?

やろうと思えば。

〉文化の共有が国家の最低構成単位であって、

〉経済や土地は入れ物にすぎません
ここらへんの洞察はぼくみたいなWEB畑の人間（WEBも農業もやってるからね！）にはすごくしっくりくるよ。

ちなみに、丸毛はいま、東京に戻ってるよ。君との同居を解消してからは、どうも連絡を取りづらいみたいだけど。

君の力が必要だって言ってたよ。なんだったら、連絡取ってみたら?

君たちができることって、ちょっと楽しみだよ。


タカハシは最後から三番目のパラグラフに激しい興味を抱いた。丸毛にもメールを送っていたはずだが、返事は来ていなかった。同居解消の時に残していった檄文を気不味く思っているのかもしれないという疑問が一瞬頭をよぎったが、その答えも出さないまま、電話をかけた。電話に出た丸毛は、ああ、という第一声にこそ気不味さを含めたものの、それからは以前の調子を取り戻し、おまえはまだそんなところにいたのか、と饒舌さを取り戻した。

「うん。北千住は上手く回ってるからね。同居人も新しく変わったし、いま三代目だよ」

「三代目かよ。よくそんなぽんぽん見つけられるな。二代目はどうした?」

「ああ、なんか俺のこと嫌って出てっちゃったよ。でもまあ、三代目をちゃんと連れて来てから出てったから、いいけど」

「どんな奴なんだ、三代目って」

「山谷に住んでたんだけど、二代目の悠太さんが知り合ってさ。小説家志望だけど全然書かない。太宰治が好きだよ。しかもアル中で」

「じゃあ終わってんな、そいつ」

「うん。最近なんかホント終末期でさ。夜中になると、ロックンロール! とか叫んでるよ。あんな駄目な人間は初めて見たよ」

「それで、おまえはそいつのお世話に時間を取られてるわけだ」

「いや、最近は駄目なりに落ち着いてるから、特に時間は取られてないよ」

電話の向こうで深い溜息が鳴った。ボボボボ、という受話器に吹き付ける空気の音が止んだあとに、おまえはそんなことしてちゃダメだ、と聞こえた。

「そう？　こないだメール送ったとおり、色々と考え事はしてるけど」

「計画ばっかりじゃダメだ。もう実行に移さないと」

丸毛は数々の士業を挫折して都落ちした体験について熱っぽく語った。鋒鋩の体で帰った実家は、はじめこそ心地良かったものの、地方にある娯楽は所詮ゲーセンとパチンコと車のカスタムとセクキャバに尽きる。終末期癌患者のホスピスと同じで、もう目的のない人間に丁度いい場所だ。おい、聞いてんのか！　地方、おまえのことだよ！　タカハシは怒鳴られた。おそらく、丸毛は受話器の向こうで目を吊り上げていたに違いない。感情の矛先をうまくコントロールできなくて、タカハシが地方の身代わりを引き受けることになるのだ。

「ところで、いまどこに住んでんの？」

タカハシは怒られるのが嫌なので、質問を変えた。

「経堂」

「あれ、また上京したの？」と水臭を声音に出さないように言った。「へえ、そっか。世田谷かぁ。凄いじゃん。前は足立区だったのに、ずいぶん出世したね」

「まあ、居候だからな。別に俺が世田谷区に相応しいわけじゃない」

「仕事は？　何かやってんの？」

「いや、税理士事務所」

「資格取るの？　もうやだって言ってなかったっけ」

「バイトだからな。資格必要な仕事なんてやってねえよ」

「え、税理士事務所で働きながら税理士の資格を目指すとかじゃなく？」

色々と不可解なことがあり、問い正してみると、丸毛は弟の伝手(つて)でとある企業に入り込み、その企業と関連の深い税理士法人にもぐりこんだという。形式的にはそのグループ企業から派遣されている形になるらしい。

「コネ入社か。よかったじゃん、楽で」

「楽なわけねえだろ。ちょっと待ってろ。携帯切るぞ。いま写真送るから」

そのままブツっと切れ、間髪入れずにメールが届いた。添附された写真には、ベッドにいる全裸の丸毛ともう一人が写っていた。タカハシはつぶさに内容を理解できず、何度か見直した。完全に理解するより先に、丸毛から電話がかかってきた。

「見た？」

「見たけど、意味がよくわかんないよ。ハメ撮り？　彼女？」

「半分正解だ。下になってる奴を見ろ」

タカハシは耳に当てていた携帯を眼下に戻し、写真を表示した。全裸の丸毛の下にいるもう一つの裸体は、ズドンとした体型をしており、膝の裏にまで濃い毛が生えていた。

「誰これ？　男？」

「それ、うちの社長。俺の家族にはナイショな」

「あ、オッサンなんだ、これ」

「オッサンつっても、まだ三十四だけどな」

どうも解せないと愚直に問い詰めると、丸毛は定期的に社長を抱くことで、閑職めいた楽な仕事を手にしたということだった。坂田にウェブのことを教えてもらい、会社のウェブサイトを作ったりしているが、基本的にはなにもしてないという。

「よかったじゃん、それ。週何日ぐらい働いてんの？」

「週二回。でも、別によかないな」

「いや、そんな楽な仕事なら、俺もやりたいよ。社長を抱くってのがなければ。おまえに適職じゃんか。厭味じゃなくて。」

「うん、まあな。はじめてのことじゃないだろうし」

丸毛はよく、男を抱くことについて仄めかした。一緒に住んでいるときも、いっそ俺達でやっちまうか、というようなことを言った。結局それは実現しなかったが、丸毛のセクシャリティが少し危うい感じはしていた。性的なパートナーを求めるというより、寄る辺ない魂を繋ぎ止める場所を探している風だった。

「うん、まあなって、満足してるわけねえだろ」と、電話越しの丸毛は自嘲の暗がりから声を荒げた。

「オッサンのケツ掘るのが楽しいわけねえだろうが」

「そりゃね。でも、つまんない仕事を無理矢理やるよりはいいじゃない。掘られてるわけじゃないし」

「おまえ、その新しい同居人が好きとか言ってる太宰の言葉を借りるとだな、掘られる身が辛いかね、掘る身が辛いかね、というところだよ」

「そんなもんかね」

「そうだよ。まあ、俺だっていつまでもオッサンのケツを掘り続けているつもりはないがな。おまえだって、アル中の世話しててもしょうがないだろ」

「あ、そうだ、それだよ。なんか、坂田からメール来てたんだけど。なんか計画してるんだって?」

その後、タカハシは丸毛から「ユーソフィア・プロジェクト」について聞いた。帰京した丸毛が大学院生たちとはじめたプロジェクトであるという。就職難、国立大学の独立行政法人化、産学連携の強化などがあいまって、潰しの利かない文系大学院生、それもポスドクと呼ばれる博士課程修了者たちの惨状は凄まじいものがあった。丸毛は持ち前の扇動者(デマゴーゴス)的な才能を煽り、彼らに生きる道を与えると約束したのだ。

「それって、どうすんの。具体的には」

「それがわかっていたら、もうやってるよ。おまえが自治体がどうたらって言ってるのと同じだよ。一筋縄で行くことじゃないからな」

「なるほどね。まあ、がんばってよ」

「なにいってんだ、おまえもやるんだよ」

「いや、俺はいいよ。ネットを利用するのは好きだけど、作るのには興味ないよ」

「いや、ぜひおまえには迷える文系学生たちの憩いの場を作ってもらいたい。オブジェクト指向のプログラミング言語で。以前に勉強してたろ」

「オブジェクト指向っていっても、建築の本を読んで標準化について興味を持ったから調べたってだけで。あくまで原理原則の話だからね。ソシュールの『一般言語学講義』は読んだことがあるけど、外国語は話せないのと同じだよ」

「マジか！　作れないのか？」

「そりゃ、作ろうと思えば作れるんだろうけど……これから勉強しなきゃいけないからなあ。そのためだけに勉強するのはちょっと……」

「じゃあ、ぜひやってくれよ。タダで。おまえは勉強好きだろう」

「タダはやだよ。けっこう時間かかるんだから」

「じゃあ、幾らならいいんだ？　百万円ぐらい？」

「十五万でいいよ。相場がよくわかんないから。それだけあれば、一ヶ月暮らせるし」

「じゃあ、十五万で」

「ウソ、出せんの？」

「ああ。うちの社長がなんかよくわかんないが、金を出してくれるらしい。ＩＴをビジネスに取り入れるそうだ」

「すごいね。いいパトロン見つけたじゃん」

「だてにケツ掘ってないからな。まあ頼むよ」

タカハシは少し考え込んだ。以前にやった新薬の実験台のバイト代が十三万で、あと一月は働かなくても済む。が、ここでウェブ制作という新たな仕事をやってみれば、理想の労働環境が整う可能性が飛躍的に伸びる。

「わかった。いいよ。けど、仕様は？　俺もウェブの仕事なんて引き受けたことないからわかんないけど、そういうのって、要件を固めないとダメなんでしょ」

「なんだよ、要件って」

「こんな機能がほしいとか、こんなデザインにしてほしいとか、ユーザーが何人とか。ほら、家とか建てるときもそうでしょ。きちんと整理して、仕様を明確にしないと」

「俺は家を建てたことがないからわからん」と、丸毛は深い溜息をついて言った。「なんにせよ、おまえに任せるよ。じゃあな。納期は一ヶ月後で」

丸毛からの電話は切れた。タカハシは丸毛の依頼に取り掛かるより先に、カントに丸毛の現状を話した。東大に入ってなお社会から逃げ出すような無頼を働いた男が、いまやオッサンのお稚児(ちご)さんに成り下がっている——これ以上の題材はないはずだった。

「それ、逆にエリートだね。書けるよ」

居間のソファで話を聞き終えたカントは、緑茶ハイを傾けながら答えた。また飲みはじめていた。たぶん書かないな、とタカハシは思い、急につまらなくなった。白いソファにはジーンズの藍が染みこんでいて、そろそろクリーニングが必要だった。

カントが居間でとろとろと酔っている間、タカハシは丸毛から引き受けた仕事に没頭した。この仕事を終えて十五万円が入れば、とりあえず来月分の家賃にはなる。カントは先月の家賃も未納で、親に無心した金も使い切ってしまっていたから、どんなに早くても家賃八万円の振込みには間に合わなかった。となると、タカハシがその分を補填するしかない。幸い、十五万円もあれば二人が生活していくには事欠かない。

タカハシはプログラミング言語とデータベース言語の本に六千円を投資し、十五万円を得るためにキーボードを叩き出した。さすがに一月で仕上げるといってしまったのは無理があり、文法や制御構文などの原則は一日で覚えられたが、言語に特有の機能や拡張機能を理解するのに手間取った。毎日三、四時間しか眠らずにパソコンに向かっていなければならなかった。

山田はタカハシがプログラマを目指し始めたと勘違いし、大丈夫、体壊さない？　と眉を顰(ひそ)めながら、甲斐甲斐しく身辺の世話を焼いた。嬉しそうだった。山田は毛の量が多く、いつも季節の変わり目の犬みたいだったから、彼女が掃除機をかけた側から毛が落ちていった。タカハシは部品化(モジュール)したプログラムが相互に問題なく動くことを確かめると、カーペットコロコロに手を伸ばし、山田の毛を巻き取った。女の長い毛を巻き取ったコロコロは、古いシートを捨てるのが面倒だった。

タカハシはほとんど部屋にこもっていたので、カントを見ることがなかった。夜の三時になると、やはり奇声が聞こえた。こいつ、弱ぇー！　山田は布団の中で不安げに、あの人大丈夫、と尋ねてきたが、その眉根には以前のような底知れない不信がなかった。タカハシが働いている姿を見て、安心しているらしかった。こんな姿を見せなくても、自分の計画に間違いはなかったのにと、タカハシは信用の得難さに改めて驚いた。

三週間がたち、コミュニティサイトがだいぶできあがった。そこでは寄る辺ない文系大学院生たちが、自分の職能を披露することができる。翻訳なり、調査協力なり、登録しておけばなんらかの仕事を受注することができる。場合によっては、自分一人でこなせない仕事を仲間と外注しあうこともできる。価格体系は明瞭で、食うに困らない程度の収入を得ることを目指す。まだ決済手段を提供できてはいないが、マッチングできるだけでも大したものだろう。ＩＴ大国アメリカにもクレイグリストという掲示板サイトがあって大人気だという。サイトの名前はユーソフィアだ。無い（ユー）、知恵（ソフィア）。タカハシはこの諧謔に一人笑い、自分が一端（いっぱし）のパソコンオタクになった気がした。

それまではウェブ上に公開せず、家にあるオンボロパソコンで開発を続けていたが、そろそろ公開された場所で検証をしなくてはならなかった。が、アップロードしてみても、画面が真白で何も映らない。どうもデータベース接続がうまくいかず、ああ、接続先ホストの設定を間違えたんだな、とエラーメッセージを表示すると、"401: Fatal Connection Error"と表示されていた。ローカル環境では問題なく動いていたものが、公開した場所に置かれた途端に致命的な接続（フェイタル・コネクション）エラーを起こし、しかも、そのエラーナンバーが部屋番号と同じ４０１だったという事実は、とても示唆的であり、文学的な暗喩の一つとして使えるような気がしたので、カントを呼びつけた。

　見て見て、といわんばかりの勢いでノートパソコンの画面を指差したタカハシは、これ俺たちの人生のことじゃない？　と言った。

「まあ、ある意味そうだねえ。こいつ、機械のくせに、真実、言っちゃうねえ」

「ねえ、凄い一致でしょ！　これは小説に書けるよ。使ってよ」

「いや、パソコンってほんと凄いねえ」

　カントはむしろ観念した風で、自虐の一つも歌わなかった。タカハシが煽り立てても、カントの顔は暗い縁から戻ってこない。いつもの悪い癖で言いすぎてしまったのかもしれないと反省していると、カントは別のページを開いた。

「あ、カントくん、ｍｉｘｉやってるんだ」

「いや、大貧民で知り合った主婦に誘われてさ」

「へえ、やるじゃん。不倫するの？　悠太さんもチャットで知り合った主婦に会いに京都まで行ってたよ。地方の主婦って暇だから、けっこう欲求不満みたいだよ」

「いや、そうじゃなくて」

いつもなら不貞行為に対して、それゴミじゃん、と大激怒するはずのカントはあくまで素っ気無く、タッチパッドを動かしてｍｉｘｉの画面を操作していた。タッチパッドの周りは手垢がついていて、うっすらと凹んでいた。

「やりこんでるね」

「このさ、マクシム・ドカンってやつ」と、カントは画面に表示されたサムネイル画像を指した。「たまたまｍｉｘｉで出会ったんだけど、ほら、前にタカハシくんに言った、ヤク中の奴なんだよね」

「ああ、クラブかなんかでカントくんを煽って、ファイトクラブ的に全員でボコろうとした奴？」

カントはこれまで何度も小説のネタを話したことがあり、その中の一つがこの「ファイトクラブごっこ」だった。なんでも友人に誘われてクラブに遊びに行ったところ、そこではなぜかカントを皆でボコボコにする計画になっていた、というエピソードだ。友人グループの中の良心的な一人にこっそり、このあとお前、遊びでボコられるぞ、と教えてもらい、トイレに逃げ込み籠城を一晩決めこんでことなきを得たそうだ。タカハシはその話を聞いたとき、それって友達なの、といぶかったものだった。

「そう。こないだ、出身地で検索かけてたらたまたま見つけてさ」

「マイミクになったの？　カントくんをボコらせようとしてきた奴なのに？」

「あの頃はこいつもヤクやってたからねえ。しかも冷たい方の」

カントはそう言うと、マクシム・ドカンのプロフィールを表示した。


自分は器の小さい人間だった。

三年ほど前、そのことにやっと気づき、都落ち。育った故郷も悪くないと気づく。

最近はクサ（食用）やキノコ（食用）を山で採り、テンプラにして食している。このまま自然と触れ合いながら生きて行ければいいなあ。


殊勝な自己紹介は、カントの物語とだいぶ違った。タカハシは、ちょっと貸して、とマクシム・ドカンのマイミクを検索していった。マクシム・ドカンについての紹介文を書いているマイミクもいたが、「素敵なニート」「ほっとけない。前世は息子だったに違いない」「襟足がキュートです。切っちゃダメだよ！」などといったぬるま湯的コミュニケーション用語が飛び交うだけだった。戸惑いがタカハシを無口にした。

「あいつももう三十一だからねえ。前は俺もおまえもオールマンのデュアンとオークリーみたいにバイクで事故死しようとか言ってたけど」

「あ、仲好かったんだ。でも、カントくんバイクの免許持ってないでしょ」

「うん、俺が免許持ってたら、絶対人殺すからねえ」

「あ、偉い。そこらへんの判断力がただのアル中じゃないね」

「まあねえ、しかし、長崎じゃ車ないと就職できないからねえ。ヤバいねえ」

「カントくんでも将来を考えるんだね」

カントは小さく頷くと、厚く塗り重ねられた沈滞を振り払うように、ｍｉｘｉの足あと画面へと遷移した。

「ところで、タカハシくん、見てよ」

カントが指さした足あとリストには、厖大な数が残っていた。一日に百人以上がカントのページを見ている計算になる。

「凄いじゃん、なんでこんなに見に来んの」

「いやあ、世間が俺をほっとかないよ」

「たしかにねえ、カントくんぐらいダメな人もなかなかいないからね。凄いよ」

「いやいや、タカハシくん、そこは逆にけなすとこだよ。どんだけ人がいいの？」

「なんで？　カントくんの日記とか読みに来てんじゃないの？」

「違うよ。ここだよ」

カントはそう言うと、マウスを動かした。ページの右端にｍｉｘｉニュースというリンクがあり、そこをクリックすると、ニュースが表示された。「キーボード、意外と汚れている？」というニュースを表示し、さらに「日記を書く」というリンクをクリックした。

「こうやってニュースについての日記を書くとさ、そのニュースを見た人が俺の日記を読みにくるわけ」

「なんでみんな来るの？」

「そのニュースを他の人がどう思うかを知りたいんじゃないの」

「それで、カントくんはどうしたいの？　小説も書かないでさ」

カントは少し考えこんだ。それから緑茶ハイの缶を傾け、演戯臭い身振りで肝臓をさすって見せてから、考え込んだように腕を組んだ。

「タカハシくん。俺も伊達に駄目ガンジーと呼ばれてないけど、ちょっとは考えてるよ」

「なにを？」

「なんだっけ、アファメイト？」

「ああ、アフィリエイトでしょ」

「そう、それ。俺のｍｉｘｉを見に来る人がたくさんいれば、金が儲かるかなって。太宰の本とか売ろうと思うんだよね」

「でも、アフィリエイトって、消費者金融とか、クレジットカードの勧誘とかじゃないと儲からないらしいよ。ほら、Ａｍａｚｏｎで本が売れたって、アフィリエイト単価は五パーセントぐらいでしょ。文庫一冊で二十円ぐらいじゃん。『人間失格』が五十冊売れたって、千円だよ。サラ金とかは一回契約が成立すると、一万円ぐらい入るらしいからね」

タカハシの夢を打ち砕く速度に、カントはよろめいた。そして、再び緑茶ハイを傾けると、タカハシくんは夢壊すねえ、と呻いた。

「でも、アフィリエイトの広告代理店で働いてる人に聞いたから、たぶんホントだよ。儲かる人は年収一千万ぐらい行くらしいけど、ほとんどはお小遣いにもならないってさ」

「マチ金かあ。あいつらに金返すために協力したくないねえ。ただでさえ、困窮させられてるから」

「あれ、もしかして、今バイトしてない？」

詰問したわけではなかったが、カントの顔は責められる表情になった。いやあ、とマゴマゴしだし、さんざん迂廻したあとに、クビになったと告白した。

「しかも、時給九百円のバイトだからねえ。俺も自分の駄目さに呆れたよ」

「あの裏ＤＶＤ焼く仕事？」

「いや新しいやつ。デリヘルの受付だよ。これは書けるよ」

カントの新しいバイトとは、デリヘルの待合室として用意された賃貸マンションの一室の台所に座り、電話番をすることだった。リビングと寝室には絨毯が敷き詰められ、ソファにデリヘル嬢たちが座っている。注文の電話が鳴るたび、カントが適当な女性に声をかけ、依頼主の待つラブホテルまで行ってもらえないかどうか頼む。あくまでビジネスなはずなのだが、電話番のカントはデリヘル嬢たちが応じてくれるまで、あれこれお願いをしなければいけないらしい。チェンジと拒絶されたデリヘル嬢の機嫌を取るのもカントの仕事だった。

「売女(ばいた)が待合室の絨緞の上に煙草ポイ捨てするんで、せめて灰皿に捨てろや、この売女！　って叱ったら……」と、カントは溜めをつけてから付け加えた。「逆に俺がクビになったからね」

「それ、自殺モンだね」

「いやあ、ホント、逆にその売女と無理心中するしかないと思ったよ」

「でも、クビは困るね。まだ借金残ってるんでしょ？」

「うん、来月の家賃もあるしねえ」

「まあ、家賃はちょっとぐらい待つけどさ。借金は減らさないとね。グレーゾーン金利撤廃の恩恵はないの？」

「いやあ、タカハシくんの言ったとおり、行政書士に相談してみたけど、全部はチャラにならないみたいだね」

「あ、そうなんだ。カントくん、相当過払いしてるはずなんだけど」

「トータルで見たらそうなんだけどねえ。下手に四十万ぐらい借りたところは返せないみたいだよ」

「そっかあ、じゃあ、頑張って働かないとね」

「そうだねえ」

ごくシンプルに未来への希望を約束したカントは、金策へ走ることなくｍｉｘｉへと戻り、見事なまでに手を打つことがなかった。その怠慢ぶりは軽やかでさえあった。パソコンのデスクトップには、文學界新人賞に出した「第一部・完」が残っていたが、第二部はまだなかった。


翌月末が近づき、カントの分の家賃まで支払って生活が逼迫しかけたところ、タカハシの口座にユーソフィア作成の謝礼が飛び込んだ。たった十五万ではあったが、丸毛から似たような仕事が他にも二件あると言われたので、引き受けた。以前の半分の工数で仕上げねばならなかったが、慣れているのでできるだろうと踏んでのことだった。タカハシは同じ時期に舞い込んできた技術翻訳のバイトを断った。もう飽きていたので、いい頃合だった。

自分のプログラミングが上達していくのを感じながら、ひたすらコードを書いていった。データベースの扱いも上達し、複数サーバ間でのデータ共有もなんなくこなすようになった。本を読んで、人月工数を見積もり根拠にした請求書を書けるようになった。老人ホームネットワークのコミュニティサイトと、地方の予備校の県内コミュニティを構築し終えると、四十二万の収入が入った。これで実績が出来て、一端のフリー・プログラマーを名乗ることができる。タカハシは人生の選択肢が増えたことを喜んだ。これでしばらくは暇つぶしができる。

礼がてら、丸毛を食事に誘った。仕事中に身辺の世話を焼いてくれた山田と、そのついででカントも誘って、北千住にある「千住で二番」と銘打たれた肉鍋屋でとろとろと酔った。

「タカハシ、俺はおまえがいつかやると思っていたよ」

丸毛は褒めた。いじけやすく人を褒めない性格の山田まで、タカハシを褒めた。が、カントだけは腕を組んで黙り込んでいた。ごった煮風の見かけとは裏腹に値段の高い肉鍋が、カントの目の前で冷えていく。カントは温かい食べ物が苦手なのだ。母親に作ってもらったことがなかったから。汁から少し覗いた大根の表面が乾き、ひび割れそうになっていた。冷房が効きすぎていた。もう温度調整の難しい季節になっていた。

「タカハシ、おまえ、うちの会社に来ないか?」

丸毛が言った。

「ええ、いいよ。だって、おまえが社長のケツ掘ってるんでしょ。俺、そんな人をボスとは呼べないよ。笑っちゃうし」

「でも、待遇はすごくいいぞ」

「ウソつけよ。今回の仕事、知らなかったけど、世間相場よりだいぶ安いらしいじゃないか。一案件で百万ぐらい取れるって聞いたぞ」

「いや、あれはうちの社長がおまえの突破力を試したんだ。どれだけ短納期できるのかって」

「なんで試すのさ。意味なく試されるのは嫌だよ。聖書にも書いてある。キリスト曰く、誰も私を試してはならない、だよ。テストって邪悪な行為なんだぜ」

「いや、実は今の会社にウェブの部署が出来るんだよ。もともとは通信教育系のサービス会社なんだけどな。それで、俺がそれを任されるからさ」

「社長が社員に掘らせてる会社、やだなあ。それに、あんなに働きたくないよ。サービス残業させられまくるんじゃないの」

「いや、社長はおまえの希望を聞くっていってたぞ」

「ウソだあ。週二とかでもいいの？」

「大丈夫だ。俺がその分、社長のケツを掘ってやる」

「いいじゃん！　やんなよ！」

山田が明るい声を出した。彼女はタカハシが仕事らしい仕事をしているのを嬉しく思っているのだった。が、タカハシはかき消されたカントの声を聞いていた。丸毛がケツを掘るといった瞬間、そそそ、それゴミ？　と呟いたのだ。聞かれることを期待しない、悲しいか細さだった。おそらく、復讐の外道を歩み続けるカントなりに、タカハシの成功をしめやかに祝福していた。

「カントくんはどう思う？」

タカハシは尋ねた。憐れんだ風に聞こえないよう、なるべく語尾を上げたつもりだったが、カントの笑顔はかすかに演戯臭くなった。風景に溶け込みつつあった男にとって、話を振られることは、恥辱になるようだった。

「タカハシくんなら、大丈夫だと思うけどね。ただ、俺はタカハシくんにもっと色んなものを見てもらおうと思ってたけど」

「なんで過去形なの？」

「ルサンチマンだよ」

「ルサンチマンっつっても、タカハシはもともとおまえとは違う人種だからな」と、丸毛が口を挟んだ。「飯も作れるし、掃除もできるし。家で太宰読みながらヒクヒクしてるおまえとは訳が違うんだ」

「いや、そこは敢えて言ったんであって、俺は逆に褒めてるんだよ」

「繕うなよ、この借金魔が」

「ちょっと、止めてよ」

山田が少し声を荒げた。しかし、恐れる山田をそのままにして、ちょっとした口論が始まった。空になった瓶ビールの下に、水滴が溜まっていた。カントは瓶を持ち上げて、水滴を拭き取った。まるで、口論を拭き取ろうとしているようだった。

タカハシはその口論を聞きながら、カントの反論はちょっと意味が違うと思った。おそらく、カントはルサンチマンという言葉の意味を間違っているだけだ。たぶん、感傷的（センチメンタル）と言おうとしたのだ。悪気はない。内向的反感（ルサンチマン）も嫉妬も抱いていない。カントは悪い奴じゃない。ただ迂闊で馬鹿なのだ。

口論が一段落して、店内の喧騒が勝りがちになった。肉鍋屋の入り口には、すでに空席を待つ人々がいる。タカハシはその中のＯＬの膝頭を見つめた。両方の膝小僧にかすかな痣の跡があった。なにか、膝を付くような姿勢を取る仕事をしているのかもしれなかった。と、ＯＬはそっと膝上にカバンを置いた。タカハシは視線を上げ、ＯＬの顔を見た。少しムッとした顔をしていた。濃い目のアイシャドウ以外は、清楚な印象のようだった。アイシャドウが濃いのは、化粧の流行がそうだったからで、特段彼女がケバいというわけではない。たぶん、二十二かそこらだろう。スカートの中を覗かれたと勘繰ったに違いない。誰かが悪いというわけではないのだ——。

店を出て、全員で荒川河川敷へ向かった。カントの提案だった。彼を慰める形でみんなが同意した。カントは夜、酔って河川敷を歩くのが好きだった。金八先生のオープニングで使われたロケ地だったから、そういう浅い歴史が好きだった。タカハシは酔ったカントが深夜三時に、さんねーんBぐみー、と叫ぶのを何度も耳にした。なぜそんなに金八先生が好きなのかは聞いたことがなかった。

「おまえ、なんであんな奴と一緒に住んでいるんだ？」

丸毛がかなり大きな声で言った。タカハシはカントの方を見たが、少し風があったので聞こえていないようだった。一人だけ先に行ってしまい、五メートルほど先を歩いている。カントは誰かと一緒に歩くことに慣れていなかった。

「カントくんはそんなに悪い奴じゃないよ。ダメだけど」

「しかし、おまえもあいつのお世話でずいぶん時間を使ってるだろ。病院連れてったり、部屋掃除したり、家賃の肩代わりしたり」

「いや、その方が逆に楽なんだよ」と、カントの口癖が伝染（うつ）っていることを感じながら、タカハシは答えた。「それに、丸毛のことだって、病院に迎えに行ったことあるじゃん。パニック障害だなんだって」

丸毛は黙った。風はやみ、踏みしだく道草の音が鳴るほど静かになった。タカハシは自分が非難する口調になっていたことを恥じた。

「まあ、おまえも悠太さんもそうだったけど、別に俺は一緒に住んでた人を悪いとは思ったことないよ。悪の解釈の問題でしょ。ちょっと面倒だと思ったことはあっても」

タカハシがそういった瞬間、丸毛はうっと泣き崩れた。その膝の崩れ方は見事としかいいようがなく、丸毛が持つ、ある種の人をひきつける魅力を充分に発揮していた。その魅力のせいで、彼はホモの社長に誘われたのだろうけれども、タカハシはそれが総体として悪いことだとは思わなかった。

「一回もないの？　悠太さんも？」

山田はくるっと丸い目をさらに大きくした。背は低いのに、目ばかりが大きかったから、河川敷の闇でよく目立った。カブトムシの幼虫が顔に張り付いているみたいだったが、それを言ったら怒るだろうと思い、やめた。

「私は悠太さんって悪い人だと思うんだけど。お風呂覗かれたし」

「ウソ、覗かれたの？」

「覗かれたよ」と、山田はタカハシの質問に心なしか嬉しそうに答えた。「なんか、脱衣所にいきなり入ってきて。あ、トイレと間違えちゃった、ワリワリ、みたいな感じで。明らかにわざとだったよ」

「そういえば、前に悠太さんが女連れ込んだときも、その子が風呂入ってる間に、見て見て、とか言って脱衣所の扉開けてたな」

「最悪じゃん、それ」

「でもまあ、悪くはないと思うんだけどなあ。駄目なだけで。日雇いバイトで何回か一緒だっただけで、俺と住もうとしてくれたし」

「それは単に貧乏だったからじゃないの?」

「でも、あんときは丸毛がいきなりいなくなったから、誰かが一緒に住んでくれないと、困ったんだよ。結構義侠心あるじゃん」

タカハシがそう言い切ると、山田は納得の行かない顔で、そうかなあ、絶対悪い奴だと思うんだけど、と口の中で言葉を転がした。漏れ出た言葉以外にも、なにか不平がありそうだった。電車が通り、その間だけ河川敷が明るく照らされた。カントは遠くにいた。丸毛の電話が鳴る。カントは一瞬だけ振り向いたが、着信音が鳴るとまた前を向いてしまった。

「ああ、今ちょうど一緒にいるんですよ。変わります」

丸毛はタカハシに電話を差し出し、社長から、とだけ短く言った。タカハシは通り一遍の挨拶を交わすと、少しだけ話した。電話をしている最中、カントは足を止め、タカハシを見つめていた。

「なんだって?」

丸毛は企みめいた笑いを浮かべながら尋ねた。事前に打ち合わせをしていたのだろう。今から六本木に来ないかという誘いだった。

「どうする、タカハシ? 俺は行った方がいいと思うけどな」

「まあ、六本木なんてそんなに行かないしね。行くだろ?」

山田は少し脅されたように頷いた。続いてカントに尋ねると、俺はいいよ、と遠慮した。

「なんでよ? どうせ暇じゃん」

「小説を、書こうと思ってね」

「それ嘘でしょ」

カントは一瞬だけ口元を緩ませたが、すぐに笑いを収めた。笑う対象を見失ったようだった。

タカハシたちはそのまま日光街道まで出て、タクシーを捕まえた。丸毛はいかにも慣れた口調で、六本木ヒルズまで、と言うと、小さな付箋のようなものを取り出し、手に持った。タクシーチケットだった。到着よりも前に取り出してしまうのは、慣れていない証拠だった。おそらく、鶏姦の日々にも親しんではいないのだろう。握り締めたＪＴＢのタクシーチケットは、彼の強がりの証左だった。

立体交差になったけやき坂の傍道をそれ、車は曲がりくねった細い道を進んだ。車寄せでは、黒服の男が待っていて、お待ちしておりました、とタクシーのドアを持った。黒服は一番最初に降りたタカハシを見て、眉を吊り上げた。タカハシは肌寒いから、とカントの革ジャンを借りていた。両脇にクラゲの足のようなフリンジがついた、レンガ色の革ジャンだった。しかも、その下は上下ともにスウェットだった。黒服はただ呆れているようだった。カントが長崎でこの革ジャンを着たときは子供から石を投げられたという触れ込みも、あながち嘘ではないのかもしれなかった。

マズローというバーは、全席がソファで、生演奏のバンドがついていた。タカハシは喫茶店のルノワールみたいだと思った。店内には異常な数のボーイがいて、その中の一人がタカハシの皮ジャンを脱がせてくれた。裏革がスウェットに引っかかり、うまく脱げないでいると、黒服が、申し訳ございません、と謝った。タカハシは黒服の職業人生を想像し、自分はどちらかというと低劣な客の部類に入るのだろうと勝手に推測した。

「いやあ、タカハシさん、どうもその節はお世話になりました」

角刈りのヤクザじみた中年が話しかけてきた。タカハシは、あ、社長ですか、と尋ねたが、どうやらそうではなく、端っこに座っている背の低い男が社長だった。写真ではあんなに毛むくじゃらだったのに、つるりとして、小学生のように見える男だった。隣は空席になっていて、丸毛はそこにすっぽりと収まった。両手を膝の上に揃え、ちょこんとした座り方だった。

「あ、そちらが社長ですか」と、タカハシは丸毛の顔色を窺いながら尋ねた。「その節はどうも」

「こちらこそ」

社長はそう言うと、丸毛に耳打ちをした。丸毛はお稚児さんらしく上品に頷くと、タカハシにメニューを差し出した。

「好きなもの頼んでいいってさ。ほら」

タカハシは渡されたメニューを覗き込んだ。両脇に座ったカントと山田がほおっと声を上げた。

「なに頼んでいいか、わかんないんだけど」と、山田が言った。「一番安くて二千円って、どういうこと？」

「値段は気にしなくていいでしょ。どうせ奢りだし。これにしなよ」と、タカハシはモヒートを指した。「なんかトロピカルなヤツだったから、飲めるんじゃないの。カントくんは？」

「俺は敢えて緑茶ハイで行くよ」

「あるのかな」

ボーイの顔を窺うと、困ったような顔で頷いた。タカハシは何を飲もうか考えた挙句、自分の生まれた年のロマネコンティを注文した。すると、ボーイは社長の方をちらりと見てから、よろしいんですか、と念を押した。もしかして不味いことをしたのかもしれなかった。

「ロマネコンティって幾らするんですか」

「二百三十万です。年によって変わります」

「あ、高いんですね。じゃあこのグラッパってやつで」

注文を終えて顔を挙げると、社長を取り巻いていた上役らしき男たちの顔色が変わっていた。山田は怯えた顔で、タカハシの二の腕をそっと掴んだ。丸毛は社長に対してタカハシを紹介し、社長はタカハシに期待している旨を伝えた。待遇は三十万というので、駆け出しのプログラマーとしては悪くない金額だった。タカハシは断った。隣で山田が、ウソ！　と呟くのが聞こえた。しかし、タカハシは週五日も働くことなど、馬鹿げているとしか思えなかった。タカハシはグラッパを傾けた。咽せるような薬草の香りがして、これで二五〇〇円か、と不思議に思った。


それから、タカハシは目を覚ました。広い洋間にいて、ベッドの上だった。横にはバスローブを着た山田がしくしくと泣いていた。記憶が前後していた。

山田に聞くと、タカハシはあのあと、グラッパという臭い酒が気に入って、何杯も続けて飲んだらしかった。アルコール五十度の強い酒だったから、そのまま意識を失った。三人は寝れそうなベッドの脇を見ると、ゴミ袋にゲロが入っていた。

「俺吐いたの?」

「死んじゃうかと思った」

山田はそういうと、再びわっと泣き出した。よく覚えていないが、悪いことをしたらしい。意識を失うまでは丸毛のいる会社で働くかどうかの話をしていたはずだが、その結論がどうなったのかはわからなかった。

「ところで、この部屋なに? 凄い広いんだけど」

山田に聞くと、スイートルーム、という答えが返ってきた。頭の中に、五桁以上の数字が持つごりっとした感触が甦る。こういうホテルのスイートルームは、二〇万ほどするはずだった。

「金は? 俺、もしかしてカード使った?」

「社長が払ってくれたよ。入社祝いって言ってた」

タカハシは顎に手をやった。もしかしたら、丸毛に一服盛られたのかもしれなかった。が、タカハシの疑いはいつも長く続かなかった。まあいいや、となるのだ。

「ところでカントくんは? 先帰った?」

「いるよ。向こうに」

身体を重たく感じながら、リビングに行くと、カントが床に座っていた。身体が沈むほどのソファがあるというのに、床に座り込んでワインを飲んでいた。

「ああ、タカハシくん、悪い、飲んじゃったよ。冷蔵庫のこれ、下手に開けたら、五千円とか書いてあった」

カントは机の上においてあったメニューを渡して見せた。タカハシはそれを五秒ほど眺めると、すぐに尋ねた。

「昨日さ、なにがあったの？　俺、全然記憶ないんだけど」

「ある意味、男だったよ。ボンゾみたいに死ぬかと思ったけどさ」

「誰それ」

「ツェッペリンのドラムだよ。ある意味、スウィートルームで寝ゲロして死亡ってのは、最高にロックだからね」

「ホントにここスウィートなの？」

「そうだよ。あの社長がカード切ってたけど、十六万だってさ」

「そう……。山田、コーヒー入れてくんない」

タカハシはソファに腰をかけた。すると、それまで床に座っていたカントが向かいのソファに座った。北千住の四〇一号室にいるような既視感に、タカハシはくすりと笑いを漏らした。

「昨日は大丈夫だったかな。初対面で無茶苦茶やっちゃったけど。俺、覚えてないからな」

「いや、逆に男を上げたよ。社長の取り巻きも、ここまでできる奴はいないって言ってたからね」

「あれ、俺って入社する約束してた？」

「してたよ」

「そっか。まあ、いいや」

タカハシはプログラマーになった自分を想像した。長く続くかどうか、判然としなかった。アルゴリズムを理解して、能力が向上した上に金までもらえるのは楽しくはある。しかし、これはやってみて初めて分かったのだが、現在のソフトウェア開発は様々なレベルのソフトウェアの組み合わせになっており、要するに他人の作った成果物の上に乗っかる形で優れたものを作るわけで、その結果出来上がるものは当然ながら独自のものとは言い難かった。何かを作り上げることがそれ自体の楽しさは確かにある。世界の再構築だ。しかし、たとえばカントがやったような「第一部・完」程度の内容でも、独自の物を作る方がほんとうの仕事のような気がした。そういう意味でタカハシにとってはカントのような創作行為が本当の仕事であり、それ以外はプログラマーであっても日雇いの引っ越しアルバイトであっても、本質的にはあまり変わらない気がしていた。

「まあ、俺が仕事見つけたから、カントくんもしばらく安心だね」

タカハシが笑うと、カントの顔は歪んだ。

「これ以上、タカハシくんに迷惑かけられないよ」

「どういうこと？」

「長崎に帰るよ」

カントの顔はくしゃっと潰れた。泣いているように見えたが、そうではなかった。涙は溢れていなかった。悲しいのではなく、惨めなのでもない。苛立ちをもてあまして呆然としてるようでもあった。口元のわななきが、何らかの感情があるらしいことを告げていた。不思議な顔だった。タカハシは、カントがこういう表情を書けばいいのに、と思った。

「長崎に帰ったら、もう小説は書かないの？」

「たぶん書くなって言われるだろうね」

「そうなんだ。それで、どうやって生きるの？」

「まあ、コソコソ隠れて書くことにするよ」

カントは長崎に帰ることをすでに決めていた。理由はわからなかった。タカハシがまっとうな社会人になろうとしていることがカントにとっての裏切りだったのかもしれないし、ここ数ヶ月小説を書こうとしてついにできなかったことで彼自身が踏ん切りをつけたのかもしれなかった。それとも、別の理由、たとえば、昨晩の泥酔でカントにとってこれ以上同居を続けられないというほど決定的な暴言をタカハシが言ったのかもしれなかった。いずれにせよ、これまでもそうだったように、タカハシは同居の解消をすでに決まったこととして受け入れた。話し合う機会はすでになかった。普通の同居解消がどのように行われるものなのか、タカハシには知識がなかったが、もっと違った形のような気がした。

カントが出て行くなら新しい同居人を探さなければならないと慌てたが、勝ち誇った山田が、月収二十五万超えたよ、と教えた。言われてみればそうだった。もう結婚できる状態になっていた。ならば北千住の部屋に山田がそのまま入ればいいのかと思ったが、山田は引越しをしたがった。自分を苛み続けたあの四〇一号室にはもういたくないと、語気を荒げた。

「それにほら、今度の仕事は世田谷なんでしょ？　だったら、世田谷に引っ越そうよ」

「でも、家賃高くないかな？」

「十万ぐらいだったらいいんじゃない？　一人五万円だし」

言われてみれば、低家賃にこだわる必要もなかったし、間取りも完全に分かれている必要はなかった。試しに不動産屋に行ってみると、三時間で見つかった。世田谷のマンションで、広めの1LDKだった。同居だったので、また小芝居を演じなくてはならないのかと思ったが、肩書きが会社員になっていたので恐ろしくすんなりと決まった。引越しは二週間後だった。取っておいた上申書は使わなかった。

カントはすぐにでも帰ることになった。タカハシは準備ができるまでリビングにでも住んだら、と提案したが、カントは固辞した。去り際は潔くしたいらしかった。

「俺も十八で東京に出てから、色んな人の家を転々としてきたけど」と、カントは感慨深げに言った。

「そんなヒッピー生活もこれで最後だよ」

「あ、カントくんって一人暮らししたことないんだ」

「一回もね」

「すごいね。その人たちとはどうなったの、その後？」

「ヒバリともそうだったけどね。密室犯罪のミステリーなら幾らでも書けるぐらい、お互いのことを憎み合うってのが決まりだったたからね」

「同居の人間関係って、そんな気持ち悪くなるもんなのかな。俺はよくわかんないんだけど」

カントは俯いたまま応えなかった。緑茶ハイを愛おしむように舐めていた。

「まあ、ヒバリが死んで、ある意味、俺の親友はタカハシくんぐらいだからね。兄弟みたいに思ってるよ」

「俺は思ってないよ」

タカハシが応えると、カントは笑った。歯垢のついた歯で、毎日パーティーしたいねえ、と付け加えた。タカハシは兄弟みたいには思っていなかったが、親友だとは思っていた。それを付け加えようと思ったが、言ったらたぶんカントが泣くと思い、止めた。復讐に生きる人間が、そんな言葉で泣くべきではなかった。

それから、ごく小規模ではあったが、カントが去るその日まで毎日パーティーが行われることになった。カントは一日中タカハシの部屋に入り浸り、これまでの生活を回顧録にして、滔々と語った。買ってくる緑茶ハイの空き缶がどんどん台所に溜まっていった。タカハシが仕事に出た日は、居間で腕組みをして帰りを待った。毎日、同じ会話が繰り返された。今日が最後だから飲もうよ、という言葉が繰り返された。カントが明日出て行くと言ってから、一週間が経っていた。タカハシがごく粗朴な疑問として、いつの電車で帰るの、と尋ねると、カントは、逆に早く帰れってことかい、と苦笑いしたが、いつものずけずけとした印象はなく、苦りきった顔をしていた。

「タカハシくん、俺がいなくなると寂しいかい？」

「寂しいよ」

「でも、俺の方が百倍寂しいからね」

カントはほとんど怒気を孕んだ声でそう告げると、緑茶ハイを傾けた。そして、酒を飲みながら、翌朝の出立に向けて荷造りを始めた。荷物はこの部屋に来たときと同じで、スーツケース一つだった。だからきっと、その次の日にもう一度荷造りしなおすことは簡単だった。

翌朝になって、タカハシが起きると、カントは居間でスーツケースを携えていた。その前日までは、自分の部屋にスーツケースを置き放しにしてあったから、たぶん、本当に帰るつもりだった。

「出るの？」

「十一時五十分のこだまだよ」

「じゃあ、送ってくよ」

カントは従順な子供のように頷いた。タカハシはカントがくれた革ジャンを着た。もう春で、少し暑かった。電車に乗り、上野で山手線に乗り換え、東京駅で新幹線の切符を買っても、一言も話さなかった。待ち時間にカレー屋で最後の食事を取る間も、黙っていた。カントはタカハシがカツカレーを食べている横で、生ビールを飲みながら、福神漬けを摘んでいた。料理を頼まなかった上に、小皿を頼もうかというタカハシの申し出を固辞したから、スプーンを福神漬けの小皿代わりに使っていた。店員が不安げに何度も見つめていた。タカハシは一度ぐらい長崎に行こうと思った。そうしないと、もうカントには会えないに違いなかった。

発射時刻が近づいて、新幹線がホームに入った。カントは荷物を置いて席を取り、乗車口に立った。他の乗客が鬱陶しそうに身を避けて乗車すると、いったん身を避けてから、また乗車口に立ち塞がった。こいつ信じられないくらい邪魔だな、とタカハシは思った。発車のベルが鳴るまで、特に会話はなかった。ベルが鳴り終わると、カントはさっと紙を差し出した。ドアが閉まる寸前だったから、受け取るのがやっとだった。閉まったドアの向こうで、カントは手を上げて、小さく敬礼をした。タカハシはそれに応えた。乗客の若い夫婦が、ほほえましげにこちらを見ていた。

家に帰ってから渡された紙を開くと、Ｂ５の原稿用紙に赤の水性ボールペンで書かれていた。

イママデ、アリガトウ。

ワタクシノ、ソンザイテキニハ、ヤスッポイカンショウ、ニゲコウジツ、ノミ。ソウシテ、ジシンハ、ナニモシテオラヌガ、タカハシクントノオモヒデ、アリガタク、ヒバリノハカニササゲテクルヨ。

オワカリノトウリ、ワタクシハ、モハヤ、マッキショウジョウデ、コノアリサマデ、「ナガサキ」ニモドレバ、イキテキミニアエルキガシナカッタ。キミニモ、マスマスト、メイワクヲカケタママ、シヌンダロウナァ、ト、カンガエテイタ。

ダガ、シカシ、サクヤ、キミトサイゴノ、カイワヲシテ、キミガナニゴトカヲ、ナシトゲルノヲ、ミルマデ、シニタクナイナァ、ト、ケツイ、シマシタ。

マァ、コレイジョウ、コトバヲ、ロウ、シテモ、ムイミ、デショウ。

イツカ、トウキョウニ、モドル。サイサン、サイシ、アリガトウ。

タカハシは手紙を荷造り途中のダンボールにしまった。そういえば、中途半端に火曜日だった。月曜や土日ではなく、火曜日にいなくなるのがカントらしい無意味さだと思った。そして、そんなことを考える自分はやはり嫌な人間だったという確信を、タカハシは哀しく受け止めた。

引越しが済み、四〇一号室に住んでいたときの感覚が徐々に薄れかけてきた頃、タカハシはペットショップで犬を買って家に帰った。一歳のコーギーだった。山田は、かわいい！　とむしゃぶりついた。

「ねえ、名前は？　何にする？」

「もう決まってる。タカハシだよ」

「なにそれ、自分と同じ名前つけるの？」

「うん。俺は呼ばないから」

「えっ、なに、よくわかんない」と言いつつ、山田は喜びにそわついていた。「そもそも、うちのマンションってペット禁止じゃない？　大丈夫？」

「いいんだよ、引越しに耐えられるまでの間だから」

「また引っ越すの？」

「その犬だけだけど」

「どこによ？」

「長崎」

「カントくんに送るの？」

タカハシが頷くと、山田はふるふると震えだした。そして、絶対ダメだからね！　と今まで出したこともないような声を出し、犬のタカハシを強く抱きしめた。タカハシがキュウと鳴きながら舌を出した。

「ダメだよ。カントくんには犬が必要なんだ」

タカハシはもう一度、必要なんだ、と繰り返した。カントはたぶん、そう遠くないうちに死ぬ。タカハシにはそんな確信があった。十年か十五年、普通の人間が幸福な老衰を迎えるよりもずっと早く。そのとき、タカハシは側にいない。ヒバリの最後を看取ったのはカントだったが、カントの最後を看取るのはタカハシではない。この先、カントにそういう出会いはない。だから、犬がいい。きっと、十年か十五年後、この犬が死ぬ頃には、カントも死ぬ。犬なら、何も言わないで一緒に死んでくれる。

「なあ、山田、離してよ。あんまりかわいがると、別れが辛くなるだけだから」

「なんでよ！　意味わかんない」

「必要なんだよ」

タカハシは繰り返した。そして、犬のタカハシを取り返そうと、山田の手が緩むのを待った。しかし、力はなかなか抜けず、さっきよりも強く抱き締めているらしかった。タカハシは舌を出して、さっきよりも強くキュウと鳴いた。

彼自身による高橋文樹

ここにテキストが入るここにテキストが入るここにテキストが入るここにテキストが入るここにテキストが入るここにテキストが入る――。

本書『アウレリャーノがやってくる』の最後には、山谷感人（さんやかんと）の書く長い解説が入るはずだった。感人は「アウレリャーノがやってくる」で主人公のよき理解者として、「フェイタル・コネクション」では主人公として小説のモデルにされている。小説のモデルにされた側の人間が良い感情を持つことは稀で、大体は怒ると思うのだが、感人は「俺の著作権は高橋くんにあるからさ」とモデルにすることを快諾してくれていた。それならモデル本人が解説を書くというのも珍しいだろうと思い、依頼をしたのだが、後述するとおり叶うことはなかった。なので、私は自分の本の解説を自分で書いている。

高橋文樹について

まずは高橋文樹という作家をよく知らない読者のために、紹介しておこう。思ったより長くなったので、箇条書きにまとめる。

- 二〇〇一年、大学生のとき『途中下車』で幻冬舎からデビュー。

・長く干され、二〇〇七年「アウレリャーノがやってくる」で新潮新人賞を受賞し再デビュー。
・出版界に絶望し、自分で文学作品発表の場を設けることを決意。二〇一〇年株式会社破滅派設立。
・二〇一〇年より電子書籍を販売しはじめ、二〇一五年には破滅派参加者にその機能を開放。
・二〇一六年、大森望ゲンロンSF創作講座に参加し、SFを書くようになる。
・二〇二一年、破滅派で書籍も出版するようになる。その第一号が本書である。

高橋文樹は一九七九年千葉県千葉市生まれ。県立千葉高校を卒業後の一九九八年、東京大学文科Ⅲ類に入学する。大学三年次、私淑する大江健三郎のあとを追って文学部フランス文学科に進学。大学四年次の二〇〇一年、『途中下車』で幻冬舎NET学生文学賞大賞を受賞し、同年作家デビューする。父親が直木賞作家の高橋義夫だったため、コネ受賞を疑われることもありえると警戒し、しばらく黙っていたのだが、単行本発刊直後に行われた「公募ガイド」のインタビューで「お父さんのご職業は？」と聞かれ、嘘をつくのもなんだな、と素直に答えた。父から文学修行のようなものを受けたわけではないが、私にとって作家は普通の職業だった——なにせ、家にいるのだから——ので、就職活動の時期にたまたま見かけた文学賞に応募したのも父親の影響といえばそうだろう。『途中下車』は初めて書いた長編小説である。ちょうど就職氷河期で苦しむ周囲を見ていたし、プロ作家としてデビューも果たしたので、一年留年した上で卒業後も就職はせず、貯金を切り崩しながらフリーターをしていた。このときは年に一冊ぐらい出して年収二〇〇万ぐらいならイケるはず、と画策していた。

作家デビュー直後の二〇〇二年初頭、新潮社から連絡があり、担当もついた。「小説新潮」と「新潮」の両方の編集者を紹介されたが、大江健三郎を目指していたので「新潮」を選んだ。すぐに「ハムスターに水を」という中長編を提出したが、編集長から「村上春樹に似ている」という理由で没をくらった。村上春樹は売れっ子なんだから、何人いてもいいじゃないか、と思った。

大学時代の友人やバイト先で知り合った漫画家の卵などと共同生活をする修行時代を送りながら、四年ほどが経った。『ここにいるよ』『方舟謝肉祭』『東京守護天使』という五百枚超の長編はすべてこの時期に書いた。幻冬舎からも新潮社からも受賞第一作が出ることはなかった。二〇〇六年の末頃、友人の一人（大学院生）が「文芸同人団体を作ろう」と言い出した。これが破滅派誕生のきっかけである。私達は知り合いに声をかけ、同人を募った。破滅派の初期メンバーはだいたいこれらの人たちであり、「アウレリャーノがやってくる」に登場する人物でもある。破滅派はウェブサイトとして二〇〇七年三月に公開された。

それと前後する二〇〇七年の年初だったと思うが、新潮社の書籍担当編集者から「もう一度新人賞を取るしかない」と言われていた。もう五年も前に編集長に会ってはいたが、新人賞を取らない限り

「新潮」掲載はあり得ないらしかった。〆切が迫っていた。それなら宣伝にもなるし破滅派を題材にしよう、と直前に取材したネタなどを盛り込んで書いたのが「アウレリャーノがやってくる」である。小説を読み、それが実際に存在する文芸同人誌だとわかる、これは現実との相互作用を持った画期的な作品ではないか、と自負していたが、世間の反応はそうではなかったようだ。とにかく、第三十九回新潮新人賞受賞となった。

いまはどうだかわからないが、新潮新人賞に授賞式はなく、私と評論部門受賞者の大澤信亮、そして「新潮」編集部だけの会食が開かれた。このとき「新潮」担当編集が私の父の担当をしていたことを初めて知る。初めて会ってから五年越しぐらいの告白だ。飲み会で女装させられた、という思い出だけを聞かされたので、あまり良い関係ではなかったのだろう。この編集者が受賞直後の正賞贈呈式で「あと二、三年で大きい賞を獲らなかったらもうチャンスないですよ」と嬉しそうに言ってきた理由も得心がいった。その後に現われた新潮社の取締役も「君のお父さんを担当していたことがある」と告白したのだが、私の父は四回の候補を経て直木賞を獲って以降、新潮社で本を出していない。どうもその取締役が「次の直木賞は獲れない方に賭ける！」と冗談を言ってから疎遠になったらしい。新潮社の取締役で佐藤姓といえば創業者一族だ、直木賞を取るか取らないかでやきもきしている作家の気持ちなど冗談のタネにぐらいしかならないのだろう。取締役は後悔している風だったが、それなら私に言わないで父の義夫に直接言うべきだった。当然、私はこのことを父に伝えていない。普通、自分の取引先の息子が数十年を経て同じ取引先として現れたら人生の数奇を感じて応援するのが人の情だろうが、この夜はそうはならなかった。

その後、受賞第一作として提出したのが「フェイタル・コネクション」である。担当からオーケーは出ていたが、編集長から没にされてしまった。没になった理由を説明する場が設けられた。神楽坂あたりのカレー鍋屋だった。ひとしきり話したあと、没の理由がはっきりしないこと、オーケーを出したはずの担当編集が一言も擁護しないこと、そしてなにより、「新潮」掲載作のレベルが私の作品と比べて特段高いとも思えなかったことにより、新潮社に原稿を持っていくのはやめた。

では幻冬舎はどうかというと、長らく連絡が途絶えていた担当編集の「ショックでした」から始まるメールを新潮新人賞受賞直後に貰っていた。普通、自分のところでデビューをした作家が他のところで再度デビューをするのは恥ずかしいことだと思うのだが、「すみませんでした」でも「自分には見る目がなかった」でもなく、いきなり「ショックでした」をぶつけてくる自分より十歳近い年嵩の人間に甘えを感じた。常務から「一度会って話をしましょう」という直筆の手紙も来たが、返事はしなかった。一番苦しいときになにもしてくれなかった人達を私は信じない。

他の文芸誌、それも担当編集よりも地位の高い人からも声がかかっていた。いまほどSNSが普及していなかったので、手書きの手紙だった。新潮の担当編集は「よその編集が手紙送ってくるのは割と珍しいですよ」と言いながら、「うちから二、三作出すまでは他のところで書かないでくださいね」と続けた。私はその言葉を律儀に守った。新潮からしか次作を出すことはできないのだが、担当も編集長も私の作品を載せる気がない。他ジャンルの人間に小説を書かせるという当時のブームも私にはくだらなく見えた。

それなら、すべて自分でやろうと思った。私は破滅派のウェブサイト更新のためにウェブ制作業界で働くのが良いだろうと思ってすでに就職していた。その会社では企画やマーケティング、人材派遣教育などを担当していたので、独学でプログラミングを学んだ。自分のブログでウェブ制作に関する技術的な記事などを書いていたところ、徐々に制作の仕事が舞い込むようになった。少し金がたまり、技術的な知見もたまった頃、私は株式会社破滅派を設立した。二〇一〇年のことである。

それまでの破滅派はウェブサイトで作品を発表し、年に二度ほど同人誌を出す団体だった。手売りと書店委託で五〇〇部ぐらい売れる同人誌は珍しくなかったので、「小部数の出版物を集めてマーケットプレースを開く」というビジネスを手がけることを目指した。しかし、システム開発の途中で生活資金に困窮し、ビジネス的にもうまくいかないような気がしてきたので、ひとまずはウェブサイト制作、いわゆる受託案件をこなしながら口に糊する日々だった。電子書籍なども出したが、まだアマゾンがキンドルストアをオープンする前だったので、まったく売れなかった。ちなみに、米国のApple Booksに初めて電子書籍を出した日本人はおそらく高橋文樹である。

二〇一二年のキンドルストアオープンによって、電子書籍元年となった。これまでは知り合いが義理で買ってくれていた電子書籍が徐々に売れるようになったので、破滅派で電子書籍販売代行を手掛けるようになった。二〇一五年には破滅派のウェブサイトで公開した作品を電子書籍データとしてパッケージ化するシステムも完成したので、投稿者全員に開放した。しかし、これだけではまだまだ売上として心許なく、月のお小遣いにもならないので、受託開発を続けた。

二〇一六年になり、独立してから六年が経っていた。そろそろ何か新しいことを始めようと思っていたところ、東浩紀の経営するゲンロンが大森望ＳＦ創作講座を開講すると告知した。ＳＦといえば私にとってミシェル・ウエルベック、ジーン・ウルフ、フィリップ・Ｋ・ディックなどで親しんだジャンルだ。なにより、講師陣が豪華だったので早速申し込んだ。結果的には年間成績で二位、ゲンロン新人賞で飛浩隆新人賞受賞と、総合一位の高木ケイには一歩およばずだったが、まずまずの成績だった。思い出深いのは円城塔が講師だった回である。私は円城と同時期に純文学の新人賞を取った「同期」なので、いまや芥川賞作家となった円城に対し「なにかアドバイスはありませんか」と尋ねた。円城は作家としての営業上役立つアドバイスをしてくれた。「イベントに顔を出せ」とか「ステークホルダーを見つけろ」とかいった類の簡単なものだが、円城のようなある意味で超然とした作風の作家が営業努力をしているというのが私にとってまず意外だった。そしてなにより、二〇〇一年に作家デビューしてから作家の知り合いがほとんどいなかった私にとって、こんなにも簡単に同業者からアドバイスがもらえるというのは驚くべきことだった。その後、日本SF大賞の授賞式に呼んでもらったり、多くの作家と知り合いになった。そうした場で知り合った集英社の編集者に短編「pとqには気をつけて」を渡し、掲載してもらったりもした。約十年ぶりの持ち込みと商業誌掲載である。その後、日本文藝家協会編『短編ベストコレクション　現代の小説二〇一九』（徳間文庫）にも収められた。商業復帰作としては上々の成果といえよう。

　この体験は私に一つの確信をもたらした。閉ざされた（ゲーテッド）コミュニティに所属するメリットである。というのも、似たような経験を私はすでにしていたからである。

　株式会社破滅派では主にウェブ制作を行っており、ワードプレスというオープンソースソフトウェアでの開発を主としていた。私は破滅派結成直後の二〇〇八年頃からワードプレスに深く関わるようになり、オープンソース活動にも参加するようになった。具体的にはソースコードの提供、イベントの手伝い、情報発信などである。その過程でワードプレスの母国アメリカにも行ったのだが、開発者達がそこで実際に対面で出会い話し合って何かを決定していくプロセスを見て、感じるものがあった。

ワードプレスはいまや全世界で四〇パーセント超のシェアを取る巨大なソフトウェアである。オープンソースで開発されているのだから透明性が保たれているはずだが、重大な決断（後方互換生のない新機能の追加など）は突然決まったように見える。とりわけ「中の人」と友達ではない人にとってはなおさらだ。オンラインチャットで自分の改善提案がなぜ受け入れられないのかと憤る人々を私は多く見てきた。しかし、その人達もアメリカまで足を運んでリード開発者に直訴したら受け入れられたかもしれない。

　私がオープンソースソフトウェアとの関わりで感じていたモノをＳＦコミュニティとの関わりで再度感じたことによって、確信が生まれた。ゲーテッドコミュニティに入ると見える風景が変わるのだ。もちろん、それが良いことだとは思わない。オープンマインドを謳いつつコミュニティとしては見えない壁があることは、現代アメリカの格差社会の縮図のようでもある。富める者は優しく賢いが、愚かで怒りやすい貧者とはそもそも交わらないのだ。結局のところ、若い頃の私は純文学のゲーテッドコミュニティに入れてもらえなかったということなのだろう。それも仕方がない。そこが閉ざされていることを知らなかったのだから。まったく、無駄な時間を過ごしたものだ。カフカの『城』さながらの状況である。

　仮に閉ざされた門をくぐるとして、私がなお正しくあろうとするなら、その仕組み自体を明示すること以外にない。二〇一六年頃から、私は破滅派の同人に向けてプロデビューのための仕組みを共有するようになった。具体的には「小説雑誌だと五〇枚ぐらいの短編が載りやすい」「ジャンル違いだと載る確率はほとんどないから、自分の作風が寄せられるジャンルを探した方がいい」といったありきたりなことではあるが、私がデビューした当時は誰も教えてくれなかったことだ。私は当時小説雑誌を持たなかった幻冬舎の編集者の「短編集って売れないんですよね」という言葉を真に受け、半年かけて五〇〇枚の長編を書き、全ボツを食らったりしていた。プロットを見せて事前に執筆の了解を得る、ということさえ知らなかった。そういうことを何年も続けた。純文学には興味がないので芥川賞を獲ってから戻ってきてください、あるいは、ミステリーが売れるのでミステリーを書いてください、素直にそう言ってもらえた方がはるかによかった。

こうしたノウハウはすべての作家が知った上でやるかやらないか選べばいい——私は頼まれてもいないのに同人たちにアドバイスをした。文学の本質とは遠い小賢しい話ばかりしているなと思う同人もいただろうが、私は自分が年長者にしてほしかったことをした。実際に、そうした小賢しいアドバイスが役に立ったという作家も何人かいるし、無意味なことではなかったのだろう。

主に本人の努力だろうが、破滅派所属の作家がプロデビューをすることも増えた。具体的には佐川恭一、斧田小夜、大木芙沙子などである。同人達がプロデビューして出版社から単行本を出すに至るならそれはめでたいことではあるのだが、破滅派は単なるステップアップの場となってしまう。そこで本書『アウレリャーノがやってくる』を皮切りに出版物を継続的に出していきたいと考えている。オンライン文芸誌破滅派で話題を集め、電子書籍を出し、紙の単行本を出す。それで新しい文学の潮流を作っていこうというのが目下の目標である。

「アウレリャーノがやってくる」を発表した頃とは私もずいぶん変わった。作家としても、ウェブ制作者としても、経営者としても、人の親としても。ただ、本書には私の文学的原風景の一つが刻まれている。

解題

「アウレリャーノがやってくる」

前述のとおり、第三十九回新潮新人賞受賞作であり、現実に存在するオンライン文芸誌「破滅派」を題材にしている。ただし、本作を書いた時点でまだ破滅派は第二回更新までの原稿を貯めたぐらいであり、現実にあったことを書いたというよりは、少し未来の破滅派の姿を書いた、というのが正しいだろう。私がウェブ制作会社に就職したのは二〇〇七年七月であり、そのころはすでに選考真っ最中だった。つまり、私はまだウェブ制作の仕事をやったことがないまま本作を書いたのであって、むしろ作中の出来事を追体験する形で生きたのである。こういうことはままあり、『ここにいるよ』という作品で主人公が交通事故に遭って足を怪我して長期入院するシーンを描いたところ、翌々年に柔道で右膝十字靭帯を断裂して一ヶ月入院する羽目になった。小説に追いつく現実もある。

もちろん、現実にあったことを材にとった場面もあり、アマネヒトとほろほろ落花生が一緒に三鷹に行くシーンは実際に取材として行った。「ルサンチマン鼎談　太宰治特集」として破滅派に掲載されているので、気になる方は読んでほしい。本当にストッキングをかぶって太宰が落命した玉川上水に入水（じゅすい）している。ほろほろ落花生と山谷感人は自分で筆名を考えてきただけあって気合が入っていた。

そういえば、アマネヒトのモデルが作者なのではないか、つまりナルシシスティックではないか、という指摘もあったのだが、どちらかというと私がモデルになっているのは紙上大兄皇子である。この筆名は漫画家の友人が交換日記でつけてくれたもので、破滅派発足当初の同人数があまりに少ないので私が一人二役をやっていたのである。破滅派には紙上大兄皇子名義の作品がいくつかあるが、これも私が書いたものだ。電子書籍としてはＳＦ長編『ちっさめろん』を紙上大兄皇子名義で出しており、あとがきで「紙上大兄皇子の死」として経緯を説明している。

本作発表時の反応としては、まず選考委員で滅多に◯（マル）をつけない浅田彰が◯をつけた、というのはよく覚えている。小川洋子、阿部和重も概ね好意的な選評だった。東大仏文科の先輩である加藤典洋や批評家の佐々木敦などからも書評を貰った。ただ、「破滅派というオンライン文芸誌が実際に存在していて、それと相互的に関わる新しい作品である」ということを評価した書評は一つもなかった。

このように本作は現実と密接な関係を持った開かれた作品なので、周辺作品を読むことで面白さの幅が膨らむだろう。インターネットと間テクスト性を最大限に活用したと自画自賛していたが、早すぎたようだ。ただ、破滅派の冒険はまだ続いている。十年後読み返すとまた違った味わいがあるかもしれない。

「フェイタル・コネクション」

本作は山谷感人についての同居生活を題材にした小説で、タカハシが私、カントが山谷感人である。私たちは三年弱ほど同居をした。その頃の生活を題材にしたものである。

こちらも現実とかなり異なる点はあるが、まずタカハシは小説を書いていない。この「改変」の理由としては山谷感人のキャラを浮き立たせたいという点がまずあった。片やプロデビューを済ませた作家と自称作家では、なんだか嫌らしい小説になってしまう。当然ながら、実際の私はタカハシほど病的に鈍感ではないので、山谷感人という書き手の美化には役立ったと自負している。

本作は二〇一五年に一度電子書籍として発刊しているが、今回の出版に当たって激しく改稿した。時代にそぐわないと思われる表現、特に昨今のプライバシー意識の高まりと周囲の人間の状況変化にあわせて書き換えている。電子書籍出版当時に「好きに書いてよ」と言っていた人も、時代が変われば環境も変わるし、私との関係も変わる。本作の改稿にあたっては日比嘉高『プライヴァシーの誕生　モデル小説のトラブル史』（新曜社、二〇二〇年）を参考にした。ＳＮＳ全盛の昨今、ほとんど誰もが芸能人のような自己表象意識を持っているといっても過言ではない。小説の登場人物で複数の知人の特徴を掛け合わせた人物を創作する場合、ある特徴の一点をもってモデル訴訟を起こされて敗北しかねないリスクがある。株式会社破滅派の出版物一本目で倒産というのは避けたい事態だ。私の修正にかける情熱もわかっていただけるだろう。

本作を公開したときは「ＢＯＴＳ小説」と銘打っていた。Based On a True Story 小説でＢＯＴＳである。いまもそうだが、二〇一〇年代前半はハリウッド映画を中心として多くの映画が「この映画は実話に基づいている」点を強調していた。私の好きな映画として『ダラス・バイヤーズクラブ』が挙げられるのだが、これは実話を基にしたと謳っている。一九九〇年代にエイズを罹患したアメリカ南部テキサス州のロデオ・ボーイが未承認薬を密輸して延命を図る物語である。本作を執筆したのは二〇〇八年なので、映画を見たのはそれよりかなりあとだったのだが、電子書籍化した際に本作を再定義するきっかけとなった。これじゃん、と思ったのだ。モデルになった事件を調べると、映画に登場する魅力的なドラァグ・クイーンのレーヨンは実際には存在しなかったらしい。つまり、実話をベースにしながら、それをよりよくするために工夫をしていたわけだ。それは私もよくわかる。「この現実がこうだったら面白いのにな」という素朴な想像力が創作を支えるということが。実際、レーヨン役のジャレッド・レトはオスカーをはじめとするあらゆる賞を総ナメにしている。これは想像力の勝利だ。私も本作が現実に対してそのような勝利を収めていることを願う。

*

以上で自己紹介および自著解題を終える。

批評家ロラン・バルトは『彼自身によるロラン・バルト』（佐藤信夫訳、みすず書房、一九九七年）という本を残している。フランスの評伝にありがちなタイトルで、たとえば『彼自身によるモーパッサン』（Maupassant par lui-même）という本はモーパッサンの自伝ではなく、モーパッサンという一作家についての評伝を意味する。著者は後世の研究者などの別人なのだ。バルトはそれを逆手に取り、『彼自身によるロラン・バルト』を自分で書いた。バルトらしい諧謔（かいぎゃく）である。

そういうわけで、この長い解説は『彼自身による高橋文樹』（Fumiki Takahashi par lui-même）ということになるだろう。

山谷感人について

さて、原稿用紙四〇枚にもなる私の解説だが、本来ここは山谷感人が二〇枚の原稿を書くはずだった。解説が書かれなかった経緯についても書いておこう。

私が感人に解説の執筆を依頼したのは二〇二一年六月である。ちょうどその頃、感人は梅雨の長崎で内縁関係にあった女性（以下、妻とする）から追い出されてネカフェ難民になった。

感人は約九年にわたってヒモ同然の生活を送っていた。この経緯については『破滅派　九州特別号』所収の「九州の結婚詐欺師」に詳しい。この号はあまり読まれてしまうと私が訴えられる可能性があるので、同人誌のまま葬り去る予定だ。ともかく、九年間に渡るモラハラによってついに妻の堪忍袋の尾が切れたのだろう。最後は警察を呼ばれて追い出される形となったそうなのだが、一一〇番を押した妻の気持ちが私にはよくわかる。感人は暴力を振るう人間ではないのだが、口論になると、たとえ自分に非があったとしても「俺たちが喧嘩してちゃ始まらないよ、仲良くやっていこう」と事勿れ主義的に言いくるめようとしてくる。そもそも不満があったから怒っているわけで、不満の原因については置いておいて、あたかも怒っているこちらが悪いかのような言い方をされると堪ったものではない。そんな九年の末に見出された方法が「家の中におかしい人間がいる！」という通報だったというのも仕方のないことだろう。

ともかく、ネカフェ難民となった感人は私にほぼ毎日ＬＩＮＥをかけてきて、いかに自分が不運だったかを訴え続けた。毎日三時間から四時間である。これにはさすがに私も気が狂いそうになったが、とりあえず話は聞いた。ひとまず私が提示した解決策としては、私が依頼した解説を書くことで五万円のギャラを前金で支払うこと。破滅派での活動歴があるとはいえ、プロの書き手ではない感人に五万円のギャラは破格である。ちゃちゃっと書けば時給五千円はくだらない――しかしながら、感人はついに解説を書き終えなかった。まあ、困っている友人に金をくれてやったと思えばそれでもいいのだが、私のことを「大親友」あるいは「ブラザー」と呼び、その呼び名を私にも（ほぼ強要して）使わせている人間が、大親友の二十年ぶりに出す単行本への解説を書かないのか、逆に普通は書きたくなるんじゃないのか――という思いもないではない。

そこで私は保険として彼から直筆の念書をもらうことにした。なんといっても炎上に事欠かない昨今である、私がいくら「このモデル小説は本人に許可を貰っています」といったところで信じない人もいるだろう。これがその念書である。

誓約書

私、山谷感人こと[illegible]は、本書『アウレリャーノがやってくる』に含まれる私に関するすべての記述に対し、それらが公開されることに同意します。戯画化、パロディ、悪辣な描写などなど、すべてのことに対し一切の苦情を述べず、将来的に本書が公開されつづけることを認めます。

署名　山谷感人

住所と実名は一部伏せているが、実際に書いたものだ。一部黒塗りになったところには感人の本名が書いてあったのだが、「自分の実名が公表されてしまうのではないか」と恐れた感人がマジックで消してしまった。私は事前にこの念書を用意し、あとは署名して同封した返送用封筒に入れるだけという携帯ショップの百倍ぐらい親切な手続きをしたのだが、感人は「本に載せるときはモザイクかけるから」という言葉を信じなかったようである。ＬＩＮＥ通話で「本名で署名していない念書って意味ないだろ」と何度も説明したのだが、理解はしてもらえなかった。こいつ本当に大親友なのか？　と私が不信を覚えたのは言うまでもない。

感人がそれほどまでに実名の公表を恐れる理由はなにかというと、現在生活保護を貰っているからである。この経緯も別に書いて構わないと言われているので書いてしまうが、ネカフェ難民になった感人はおよそひと月半ほど粘ったものの、金が尽きた。私からのギャラも、着の身着のままで唯一持っていた財布のカードローンも使い切った。すでに実母は亡く、再婚相手である義理の父とは折り合いが悪い。というより、ネカフェ難民中に義父に同居を打診しに行ったのだが、拒否されたそうだ。そんな窮状からついに生活保護をもらうことを決意した。ただ、感人の状況としてはダブルバインドであって、住所がないと生活保護は申請できないが、生活保護をもらわないと住所が確定しない。私はこの苦境がいかに厳しいものかという嘆きを合計で一〇〇時間ぐらいＬＩＮＥで聞かされた。世の中にはネットカフェで日雇いの仕事をしている人もいるだろうし、とりあえず二ヶ月ぐらいネカフェに泊まりながら働けば？　とアドバイスしたのだが、伊達に九年もヒモはやっていない、当然ながら私のアドバイスは却下である。ＮＰＯ法人もいくつか調べて紹介してみたが、やれコロナ禍で無理だの、ここは貧困ビジネスっぽいだの、難癖をつけまくる。そういうところだぞ、と指摘しても意味がない。指摘して直るぐらいならこうはなっていないだろう。とにかく、私とのＬＩＮＥ通話では問題は解決するはずもなく、手を差し伸べてくれたのは役所の紹介で生活保護者にアパートを世話している人だった。感人の説明では自助グループの主催者か何かだそうで、確かにそういう慈善事業をしている人はいるだろう。そもそも生活保護を受けたことのない私に相談していたのが間違いだったのだ。餅は餅屋だ、何事も助言を受けるには実際にやったことのある人からに限る。その世話人のサポートを受け、晴れて感人はアパートに転がり込み、生活保護を受けながら暮らしている。いままでは電話（私はこれをＬＩＮＥ攻撃と呼んでいる）も三日に一回ぐらいの頻度に落ち着き、どうやって生活を立て直すかについての相談や破滅派の近況報告などをしている。本書『アウレリャーノがやってくる』に何らかの文章を寄せたいと感人は言うが、印刷所の締め切りを間近に控えた現在から逆算するに、おそらく無理だろう。

私は「フェイタル・コネクション」の中でこう書いている。

カントはたぶん、そう遠くないうちに死ぬ。タカハシにはそんな確信があった。十年か十五年、普通の人間が幸福な老衰を迎えるよりもずっと早く。そのとき、タカハシは側にいない。

ちょうどそれぐらいの時間が経ったのがいまだ。死んではいないが、かなり危機的な状況ではある。北千住に住んでいた頃のように毎晩パーティーをする「上京計画」をケースワーカーにも話しているそうだが、「夢みたいなことを言うな」と嗜(たしな)められたらしい。私もそう思う。

生活保護を貰っているというと、悠々自適に生活している社会のお荷物を想像して憤る人もいるかもしれないが、貰っている本人は自責の念に駆られて辛いようだ。生活保護者向けに新型コロナワクチンの予約枠が優先的に提供されたときも、感人は「俺には受ける資格がない」と断ってしまったそうだ。感人が生活保護申請を受け始めた頃にユーチューバーが「生活保護の人にお金をあげるなら猫を救って欲しい」と発言して炎上した事件もあったが、感人は「あいつが正しいよ」と笑っていた。奇しくも、感人は妻と同居中に猫を飼っていた。接触禁止令が出ているので、その猫とはもう会うことができない。

そもそも生活保護が必要な状況になるということにはそれなりの理由があるわけで、その理由が解決しないことにはどうしようもない。感人の場合はアルコール依存症である。γ(ガンマ)・GTPは一五〇〇を超えており、いつ死んでもおかしくないのだが、本人が自助グループなどは最初（ハナ）からバカにしており、破滅的な生き方をよしとしているので治る見込みがない。依存症になった理由についても根が深い。幼い頃に育児放棄（ネグレクト）された感人は、母の働くスナックに夜中呼び出され、面白がる客に酒などを飲まされていたという。そういえば、一度東京に感人の母が遊びに来たとき、「この子はアルコール依存症なんかになって」と愚痴りつつ、別れ際に立ち寄った午前十一時のトンカツ屋で「あんたもビール飲むでしょ」と注文していた。いわゆるイネイブリングというやつである。仕事のストレスで深酒を繰り返すなら転職で治る可能性もあるが、人生の初期から深く染み込んだアルコールは簡単なことでは拭い去れないだろう。

　感人は自身がウェルニッケ・コルサコフ症候群ではないか、と考えている。アルコール依存症が原因となることが多いウェルニッケ脳症は意識障害、ふらつきなどを伴う。その後、ほとんどが記憶障害、失見当識、作話——つまり認知症に代表的な症状——を伴うコルサコフ症候群へと移行していく。この自己診断は生活保護者向けの定期検診で医師に否定されたようだが、たしかに認知症に近い症状は出ている。ＬＩＮＥ攻撃での一例を紹介しよう。私は感人のＬＩＮＥ攻撃を受けながら、面白かったパートをメモっていたのである。

「やはりここら辺（※長崎の地方都市）では文学の話とかできる人がいなくてさ。俺には高橋くんしかいないんだよ」

「そうだろうね。俺も破滅派以外で文学の話はほとんどしないよ」

「たとえば俺が、芥川がさ、とかいうでしょ？　そうすると向こうは、は？　って顔する。で、向こうは俺に気を使ってパチンコライターの話とかする。俺は、は？　って顔する。俺、ギャンブルやらないからさ」

「まあ、芥川っていきなり言われても、読書好き以外はそうだろうね。友達に芥川って奴がいるのかな？　って思うよ」

「高橋くんならそこらへんすぐわかるんじゃん。そうだ、芥川の『歯車』の話をしよう」

「いいよ」

「あれにはアメージングについて書いてあるんだよ」

「……そんなこと書いてあったっけ？」

「作品にその言葉は出てこないんだけど、絶望的に素晴らしい、っていうアメージングのことが書いてある」

「いや、待って。なんか常識みたいに言ってるけど、アメージングって言葉にそんな反語的な意味あったっけ？　普通は素晴らしいって意味だよね。驚嘆させられる、驚くべき、とか」

「なんかの曲にそういうことが書いてある」

「え、芥川の『歯車』がアメージングで絶望的な素晴らしさについて書いているのが、感人くんのオリジナルの解釈ってことでいい?」

「いいからその曲聞いてよ」

「だからどの曲だよ」

「あれだよ、エアロスミスの……」

「いや、だからスマホで調べて教えてよ。聞きようがない」

「うーん、いま雨降ってきたからね。長崎はすごい雨だよ。俺、いまどにいるかわからないんだよね。高橋くん、わかるかな?」

「それ、『ノルウェイの森』の最後のシーンじゃん」

私としては若い男女ではなく中年男性二人が『ノルウェイの森』のような会話をLINE通話でしているというのが笑えるのだが、感人自身は村上春樹がまったく好きではない上に、自分の認知能力が落ちていることを如実に感じているので笑えない。感人はその状態を「脳が薄くなってきている」と表現している。日中、仕事はしていないので時間はわりとあるのだが、感人はそのあいだ外を歩き回っている。文章を書く時間も山ほどあるはずだが、書くことができない。たとえば図書館を探してはどうかというと、ここら辺には図書館がない、という。それなら私がなにか本を見繕って送ってやろうかというと、すぐ引っ越しになるかもしれないからちょっと待ってくれという。スマホで青空文庫でも読破したらどうだ、スマホで破滅派に投稿できるぞ……こうしたアドバイスはすべて却下である。ある意味で得難い体験をしているのだから、俯瞰して書けばかなり面白い小説ができあがるはずなのだが、いまの感人にはそれができない。感人がもっとも恐れているのは、「脳が薄くなったまま復活できないこと」である。仮にウェルニッケ・コルサコフ症候群だった場合、完治は難しい。といより、端的に治らない。

そこまで困っているなら、助けてあげるべきだ——ということを言う人はいる。

たとえば感人はネカフェ難民のときに私の母が所有するアパートに仮住まいをしようと画策していたのだが、私にとってはとんでもない重荷である。まず感人は根っからの女性差別主義者(ミソジニスト)であり、付き合いの長いはずの私の妻ともハチャメチャに仲が悪くなっている。そんな悪夢のような人間を、四人の子育てに追われる妻の近くに置いておくのは私から妻へのDVに等しい。また感人から毎晩「今日、暇かい?」という攻撃を受けることにもなるだろう。しかもその誘いを断ると、「俺はもう死にたいよ」と言い出すのが山谷感人という男である。この会話の鬱陶(うっとう)しさを説明するためにLINE攻撃を紹介しよう。

・ＬＩＮＥ通話があり、私は仕事をしていたので十五分後にかけ直したところ、「君も俺を切るのかい？」という。急に電話してきて、その言い草はなんだ。

・ＬＩＮＥ通話中、感人の電波状況が悪かったらしく、通話が切れる。かけ直してきた電話に出ると、開口一番「そういう逃げるようなことはやめようよ」と叱責モード。令和の未開人か。

・電話を切る際、「高橋くん、愛してるよ」と言われる。私は他の友人と「愛してる」とか言い合わないので普通に気持ち悪いなと思って黙っていたのだが、しまいには「愛してるって言ってくれよ」と豊川悦司ばりに泣き出す。私は仕方なく「愛してるよ」と言う。

・「高橋くん、俺のこと好きでしょ？」「（このあいだ愛してると言うことを強要されたので）うん」「でも俺は俺のことが嫌いだよ……」私としては言わされているだけなのだが……。友達ってそんなに確認しあうものか？

・あまりに連日の「死にたい」アピールがうんざりするので、「じゃあ俺も子供達と妻を全部殺して一緒に死ぬよ！」と言ったら「君だけはそんなこと言っちゃダメだ」となぜか叱られる。しかも泣いている。なんだこいつ？

とまあ、一事が万事こんな調子なのだ。

はっきりいって感人がこうなった諸悪の根源は彼の母親であり、私はかつてこの世に存在したが責任を取ることなく逃げおおせた人間の後始末をさせられているのだが、かなり立派にやっている方だと思う。考えてもみて欲しい。私は四人の子供を持つ父親で、妻は専業主婦、一家の大黒柱として頑張っている。そんな忙殺される日々の中で他人が産んだ自分より年上の子供の面倒を見なければいけない。もちろん、世の中には見ず知らずの人を助けるために自分を犠牲にしている人がいるのは知っている。それでも私は平均的に見てよくやっている方だと思う。

いまこの文章を読んでいる読者は、ほとんど悪口ばかり書いているので恨みつらみしかない、と感じているかもしれないが、感人との友人関係は唯一無二のものだ。感人の母が亡くなったとき、彼は泣きながら電話をかけてきた。私はウンウンと聞いていた。彼は係累のすべてを失ったのだ。すると、母の死因について話す段になって感人は笑い出した。酔っ払ったままパンを食べ、喉に詰まらせて死んだらしい。私も笑った。これは書けるよ、と感人が言った。そこまでしないとこうした会話は生まれない。神は細部に宿る。少なくとも、このような話をする友人は他にいない。

典型的なアダルト・チルドレンではあるが、それ以上ののっぴきならなさを秘めた感人の生い立ちについて、すでに書いた以上のことを私は知っている。それを私がここで書いてしまわないのは、もしかしたら山谷感人がいつか彼の人生について書くかもしれない、と思っているからだ。彼の物語を彼のために取っておいているのだ。人間の業を体現する作家が山谷感人だ。

私は東大を出て会社を経営しているので、「破滅派とか言っているけど楽勝人生歩んでる勝ち組でしょ？」という揶揄をされることがあるのだが、冗談で「破滅派」を名乗っているのではない。もうすでに何人か死んでいるし、中には自死も含まれる。精神安定剤をラムネのように齧る人間もいるし、統合失調症もざらだ。希死念慮は最低装備、大学の文芸サークルで尖っていた輩も破滅派では赤子同然である。そうした団体において、山谷感人のように「自分がダメ人間ってわかっていながらダメなのが一番キツい」というソクラテス「無知の知」の劣化版みたいなことをほざきながらなお生きようとする人は眩しく見える。破滅派のキャッチコピーは「後ろ向きのまま前へ進め！」だ。私はこれが文学にありえる最良の一形態だと思うし、私の創作もそれに恥じないものであると思う。

というわけで、もう感人は死んだも同然という論を展開してきたが、本書は感人にとって最後の希望である。感人は本書が一〇〇万部売れると信じている。彼が生きる気力を取り戻し、自助に向き合い、復活して「第一部・完」の続きを書くかどうかは読者であるあなたにかかっている。もう読んだのだから、知ってしまったのだから、あなたにはその責任がある。書評を書く、宣伝する、なんでも構わない。もし本書が売れないまま山谷感人が死んだら、その責任の一端はあなたにある。

終わりに

本書を締め括るにあたって、関わってくれた人すべてにお礼を申し上げたい。まずは登場してくれた山谷感人、ほろほろ落花生、ぱるお、貯蓄、サクオ・アングロ、エマニュエル・イタ子、出雲充、のちに私の妻となった深川潮。そして、「アウレリャーノがやってくる」の岩手方言を監修してくれたO女史。そして、私はなによりも私にお礼を言いたい。人生をかけて私の原稿を出版してくれてありがとう。そんな人はなかなかいない。私の原稿を世に問うためにわざわざ出版社まで作ってくれたのは、私の人生で私だけだ。

作家として出発した日から二十年を経た秋に

高橋文樹

【初出】

「アウレリャーノがやってくる」
『新潮』新潮社（2007年11月号）

「フェイタル・コネクション」
破滅派（2015年9月21日）
https://hametuha.com/series/fatal-connection/

「彼自身による高橋文樹」
書き下ろし

※本作はフィクションです。
「破滅派」、「高橋文樹」、「山谷感人」以外は
実在の人物・団体・事件と一切関係がありません。

アウレリャーノがやってくる

2021年12月23日初版1刷発行

著者	高橋文樹
装画	今日マチ子
資料提供	山谷感人
組版監修	大石十三夫（はあどわあく）
発行者	高橋文樹
発行所	株式会社破滅派
	東京都中央区銀座1-3-3 G1ビル7F
	電話　050-5532-8327
	ウェブサイト　https://hametuha.co.jp
印刷・製本	日本ハイコム株式会社

乱丁本・落丁本はご連絡いただければ交換いたします。
定価はカバーに表示しております。

ISBN978-4-905197-02-7 C0093